Супер
Иммунитет

ДЖОЭЛ ФУРМАН

д.м.н., семейный врач, создатель всемирно известной методики питания

Супер
Иммунитет

*Методика питания,
которая укрепит
здоровье, защитит
от многих заболеваний
и значительно
продлит жизнь.*

ЭКСМО
Москва
2013

УДК 612
ББК 28.074
Ф 95

Joel Fuhrman
SUPER IMMUNITY:
The Essential Nutrition Guide
for Boosting Your Body's Defenses to Live Longer,
Stronger, and Disease Free

Фурман Дж.
Ф 95   СуперИммунитет. Методика питания, которая укрепит здоровье, защитит от многих заболеваний и значительно продлит жизнь / Джоэл Фурман ; [пер. с англ. Э. Э. Бусловой]. — М. : Эксмо, 2013. — 288 с. : ил.

ISBN 978-5-699-63101-8

В наши дни СуперИммунитет необходим, как никогда раньше. Мы сталкиваемся в аэропортах и самолетах с толпами путешествующих, находящихся в контакте с экзотическими и вновь созданными микробами. Мы бываем в школах и больницах с циркулирующими там бактериями, которые развили устойчивость к антибиотикам. Иммунная система охраняет наши жизни и защищает от окружающих опасностей. С СуперИммунитетом вы сможете прожить более здоровую, счастливую жизнь, с большим комфортом и продуктивностью. СуперИммунитет может дать вам возможность расширить рамки человеческого долголетия.

Методика доктора Фурмана позволит вам создать собственный СуперИммунитет. Внеся изменения в рацион питания, вы можете укрепить здоровье и защитить от многих заболеваний себя и своих близких!

УДК 612
ББК 28.074

ISBN 978-5-699-63101-8

Посвящается
моей жене Лизе,
чьи поддержка и любовь
помогли мне воплотить мои мечты.

ОГЛАВЛЕНИЕ

ЧТО ТАКОЕ «СУПЕРИММУНИТЕТ»?

Меня только что осенило, что с тех пор, как два с половиной года назад я отправилась с вами в удивительное путешествие с целью вернуть свое здоровье, я не просто сбросила 40 кг — с тех пор у меня не было ни вирусной, ни простудной, ни гриппозной заразы (с учетом того, что больше 30 лет каждую зиму я ждала преотвратнейшего бронхита и по шесть недель кашляла как ненормальная). Эта свобода поистине чудесна: в гораздо более широком смысле, чем просто предупреждение ожирения, рака, диабета 2-го типа и сердечных заболеваний.

Эмили Боллер

Наилучшим образом суперимунитет можно определить как иммунную систему организма, работающую с полным раскрытием всего своего потенциала. Современная наука продвинулась до той точки, где у нас появились свидетельства того, что правильные сырые продукты и факторы, имеющие питательную ценность, могут удвоить или утроить защитную способность иммунной системы. Когда каждому клеточному замку-рецептору мы сопоставляем правильный питательный ключ и удовлетворяем требованиям каждой клетки, защита организма приобретает свойства супергероя — и вряд ли вам доведется когда-либо болеть вновь. Более существенным является то, что такая модернизация иммунитета от обычного до суперимунитета может сберечь вашу жизнь.

Дело в том, что суперимммунитет необходим сейчас как никогда раньше. В США взрослым угрожает от двух до четырех простудных заболеваний за год, а детям — от шести до десяти. Прямые и непрямые расходы, которыми ложатся все эти простудные заболевания на экономику США, составляют около 40 млрд долларов. К тому же болеть невесело. Грипп может привести к длительной и тяжелой болезни. Когда специалисты здравоохранения предупреждают о возможности новой эпидемии гриппа и глобальному распространению вирусных заболеваний, жизненно важно поддерживать иммунную систему и знать шаги, которые следует предпринять для защиты себя и своей семьи. Без хорошо функционирующей иммунной системы легкая инфекция может длиться неделями, могут возникнуть серьезные последствия — например, заболевания сердца или паралич или может развиться трудно поддающаяся лечению бактериальная инфекция — такая, как угрожающая жизни пневмония.

Наша иммунная система защищает нас также и от развития рака. Те же самые белые клетки крови и другие компоненты иммунной системы, воюющие с инфекцией, действуют и для распознавания наших собственных клеток, когда они становятся аномальными, и уничтожают их до того, как они смогут превратиться в опухоль или рак.

Иммунная система подобна ангелу, который охраняет наши жизни и защищает от окружающих нас опасностей. С супериммунитетом вы сможете прожить более здоровую, счастливую жизнь, с большим комфортом и продуктивностью. Супериммунитет может дать вам возможность расширить рамки человеческого долголетия. Супериммунитет устанавливает вокруг организма защитное поле, радикально снижая риск и досадных легких инфекций, и серьезных генерализованных инфекций, и даже рака.

Сегодня мы подвержены более опасным инфекциям со всего света, чем когда-либо. Мы — в аэропортах и самолетах с толпами путешествующих, находящихся в контакте с экзотическими и вновь созданными микробами, мы — в школах и больницах с циркулирующими бактериями, которые развили устойчивость к антибиотикам. Ученые предполагают, что изменения в окружающей среде, социуме и питании спровоцировали беспрецедентный взрыв более чем 35 новых инфекционных заболеваний, которые появились в мире за последние 30 лет. Показатель смертности в США от инфекционных заболеваний удвоился по сравнению с показателями за 1980 г. и составляет 170 тыс. смертей ежегодно. При ежегодном количестве авиапутешественников в 2 млрд человек вероятность серьезного вирусного заболевания становится еще более неотвратимой в нашем будущем.

В наше время сразу после возникновения болезнь проявляет тенденцию к быстрому глобальному распространению с путешествующими, а также с товарами. Считается, например, что вирус Западного Нила достиг Нью-Йорка из своего традиционного места локализации на Среднем Востоке на инфицированной птице, которую доставили кораблем или самолетом. Когда в ноябре 2002 г. впервые появился вирус атипичной пневмонии, в течение шести недель он распространился по всему миру, переносчиком его стали ничего не подозревающие путешественники. Это вирусное заболевание было очень тяжелым. Согласно данным Всемирной организации здравоохранения, всего за время вспышки было инфицировано 8000 человек и в конечном итоге умерли около 800. И это не последнее вирусное заболевание, которое переместится из одной области планеты и быстро распространится в густонаселенные районы, но пока скорость трансконтинентальной передачи вируса атипичной пневмонии является рекордной.

> Вдобавок к повышенному риску опасных инфекций, циркулирующих на планете, у нас есть еще одна современная эпидемия, влияющая на обширный сегмент популяции, — рак.

Вероятность в течение жизни получить диагноз инвазивного рака для мужчин составляет 44%, а для женщин – 37%. Однако по причине более раннего среднего возраста обнаружения рака груди по сравнению с другими наиболее распространенными видами рака, женщины имеют чуть более высокую вероятность развития рака до достижения 60-летнего возраста. В настоящее время рак является причиной каждой четвертой смерти в США. Тенденции статистики для женщин выглядят мрачно: рак груди, о котором практически ничего не слышали 100 лет назад, теперь встречается у одной из восьми женщин на протяжении жизни, и есть признаки того, что в течение следующих нескольких десятилетий этот показатель может увеличиться.

Вместе мы можем кардинально изменить такие статистические тенденции. Исследования в области медицины питательных веществ показали нам, что есть четкий способ улучшить и поддерживать наше здоровье и бороться с заболеваниями во всех их формах.

Я полагаю, что исследования в области питательных веществ и информация на этих страницах необходима и должна стать известна всем. Современная диета вызывает катастрофическое ослабление иммунитета. По причине роста потребления пищи, подвергшейся промышленной переработке, джанкфуда[1], пищевых добавок и всех тех канцерогенов, которые в них содержатся, наша нынешняя пища стала **опасной** для здоровья. Достоверные исследования из области науки о питательных веществах должны распространяться, а людей следует воодушевлять на самозащиту до того, как мы увидим последующую деградацию нашего общего самочувствия; до того, как вспыхнет какая-либо смертельная эпидемия; и до того, как мы станем свидетелями вторичной волны рака.

Супериммунитет вполне достижим, но вначале людям важно узнать о том, что умеет иммунная система и что она может сделать для нас и нашего здоровья.

ОБЪЕМ МЕДПОМОЩИ ЗНАЧЕНИЯ НЕ ИМЕЕТ

Мы живем в эру достижений науки, когда все полученные знания можно применить для того, чтобы жить лучше, дольше и счастливей, чем когда-либо. Но позвольте предупредить вас — возможность получить более обширную медпомощь, большее

---

[1] Джанкфуд — т.н. «пустая еда», выражение, характеризующее пищу, содержащую много калорий, но малоценную в других отношениях.

количество лекарств, вакцин и докторов не породит лучший иммунитет. В действительности здравоохранение здесь часть проблемы, а не ее решение.

Когда большинство из нас думают о профилактической медицине и более тщательной заботе о здоровье, мы думаем о вакцинации, приеме медпрепаратов или проведении анализов. На протяжении последних 50 лет нам предлагают эти продукты и услуги, а мы приняли систему верований, которая ставит знак равенства между бóльшим объемом медпомощи и лучшим здоровьем, выживаемостью и долголетием. Это просто неправда. Суть в том — и это было всесторонне изучено организацией «*Kaiser Health Foundation*», — что треть медицинских трат отводится на услуги, которые не улучшают здоровье или качество медпомощи, и может только усугубить положение. Слишком многие становятся все более болезненными. Проблема не в недостатке медицинской помощи, а ее рост определенно не является ответом.

Новые пациенты, которых я ежедневно вижу на своих приемах, — отличные тому примеры. Люди могут подхватить простуду или грипп, которые тянутся неделями, а затем простыть так, что болеют месяцами. Часто у пациентов наблюдается боль в области лица из-за синусита, который длится месяцами после обычной простуды. Большинство легких заболеваний оборачиваются тяжелыми бедствиями, требующими больше и больше лекарств.

> На первом этапе лекарственные средства помогают, но спустя какое-то время они перестают работать, и первоначальная проблема неоднократно повторяется.

Такие медицинские осложнения происходят по причине ослабленного естественного иммунитета, что является результатом неадекватного питания и лекарственных средств, которые могут способствовать дальнейшей деградации способности нашего тела к самозащите.

Лора Камински — прекрасный пример того, как адекватное питание может восстановить иммунную систему, сделав ее более сильной, чем прежде. Лора написала мне о своем опыте:

«У меня была аллергия на пыльцу, траву, деревья, амброзию и кошек, нос был постоянно заложен. После того как я сидела на антигистаминных, а потом мне требовались антибиотики снова и снова, у меня развились рецидивирующие инфекции мочевыводящих путей и инфекционный бактериальный синусит. Также я пробовала одну диету за другой, чтобы сбросить вес, я хотела есть и ощущала вину за свою манеру питаться. И, как на американских горках, я катилась от одной болезни к другой, употребляла все больше и больше лекарств, и была я всего лишь на четвертом десятке.

Наконец после прочтения вашей работы все стало проясняться, я поняла, что моя иммунная система слаба. Я сбросила 7 кг, которые пыталась сбросить годами, и в течение недель я ощутила, что моя сообразительность повысилась, а желудок перестал докучать мне.

По-настоящему восхитительная часть началась спустя 6 месяцев, когда я осознала, что моя аллергия кончилась. Я наконец снова смогла дышать свободно, и все мои аллергии, инфекционные синуситы и частые инфекции мочевыводящих путей просто исчезли. Мне больше не нужны лекарства. Я обнаружила то, что по-настоящему работает, чтобы оставаться в добром здравии, и это для меня приемлемо».

То, что испытала Лора, может испытать каждый из нас. Та новая наука, которую вы собираетесь познать на следующих страницах, слишком ценна, чтобы оставаться спрятанной в библиотеке цокольного этажа мединститута. Каждый должен знать, что тоже может это сделать.

Большинство из нас все еще не знают того, как ослабленный иммунитет, обычный для тех, кто придерживается стандартного современного образа питания, оставляет нас беззащитными.

Ослабленная иммунная система не только делает нас уязвимыми для гриппа и других заболеваний, у нас есть свидетельства, указывающие, что чрезмерное употребление антибиотиков и других лекарственных препаратов может вносить вклад в развитие рака.

Исследование, опубликованное в «*Journal of the American Medical Association*»[1], свидетельствует, что применение антибиотиков связано с повышенным риском рака груди. Авторы из Национального института рака, подразделения Национального института здоровья в Бетесде, штат Мэриленд, Университета Вашингтона, Сиэтл, и Центр исследования рака Фреда Хатчинсона пришли к выводу, что чем больше антибиотиков употреблялось женщинами, участвовавшими в исследовании, тем более высок был их риск рака груди.

Авторы этого исследования обнаружили, что женщины, которым антибиотики прописывали 25 и более раз — в среднем за период в 17 лет, — имеют более чем двукратно повышенный риск развития рака груди по сравнению с женщинами, которые вообще не принимали антибиотиков. Однако даже для женщин, которым антибиотики прописывали от одного до 25 раз за 17 лет, риск рака повышен; для них вероятность получить такой диагноз в 1,5 раза выше, чем для женщин, которые не принимали никаких антибиотиков. Авторы обнаружили, что риск развития рака повышается для всех классов антибиотиков, которые они исследовали.

Я помню первую лекцию по фармакологии, которую услышал в медицинском институте; профессор подчеркнул: «Не сомневайтесь, все лекарства токсичны и даже могут приблизить чью-то смерть. Их следует принимать только после тщательного рассмотрения рисков и пользы, поскольку все они несут существенные и серьезные риски». Присовокупите нашу бедную питательными веществами диету, результирующую слабость иммунной системы, приводящую к частым заболеваниям, применение и избыточное применение лекарственных препаратов, включая антибиотики, вакцины и иммуносупрессоры для аутоиммунных заболеваний — и у нас есть хорошая причина для всплеска раковых заболеваний в течение последних 70 лет. Но мы можем сменить курс.

Адская смесь — дефицит питательных веществ вкупе с избыточным применением и зависимостью от медпрепаратов,

---

[1] *Журнал Американской Медицинской Ассоциации.*

разрушительна для нашего здоровья по мере того, как мы стареем. И если вы, как Лора, все время болеете и нуждаетесь в лекарствах уже только лишь для того, чтобы чувствовать себя нормально, пора бить тревогу. Отличное здоровье — это не только то, как вы себя чувствуете в данный момент, это то, насколько устойчива ваша иммунная система к микробам, что также отражает, насколько вы устойчивы к раку. Это серьезная дискуссия, которую, может быть, неудобно обсуждать, но она слишком серьезна, чтобы скрывать ее. Частые инфекционные заболевания Лоры и зависимость от лекарств стали тем сигналом, который ее и встревожил. В глубине души она знала, что ей придется меняться. Сегодня с ее улучшенным здоровьем она защитила себя в более широком смысле, чем даже предполагала в тот момент. Она была на пути к трагедии, которую смогла предотвратить.

ЗАЩИТИТЕ СЕБЯ
С ПОМОЩЬЮ СУПЕРИММУНИТЕТА
ПРЯМО СЕЙЧАС

Нас учили, что вирусы передаются от человека человеку через прикосновения рук к лицу и что это неизбежно. Если это так, почему некоторые из нас заболевают чаще других? Что делает некоторых людей более восприимчивыми? Обречены ли мы заболеть, если болен кто-то у нас дома или на работе?

Что, если наука продвинулась до той точки, где стало возможным получить почти полную устойчивость к простудам, гриппу и другим инфекциям, и если бы вы «подхватили» что-нибудь, то оправились бы уже спустя 24 часа? Что, если мы можем предотвращать осложнения вирусных и бактериальных воздействий и оставить их как незначительные неприятности, которые никогда не разовьются в серьезную инфекцию? Что, если было бы возможно развить супериммунитет к инфекциям? Не хотели бы вы разве обладать им?

Что, если бы мы выяснили, как построить иммунную защиту при помощи надлежащего питания для развития супериммунитета, так что свыше 80% раковых заболеваний не случилось бы? Что, если бы те же самые положительные действия позволили вам медленнее стареть и поддерживать свою юношескую энергию и блестящее здоровье в ваши более поздние годы?

Истина в том, что наука о питательных веществах сделала феноменальные успехи и открытия в последние годы, и когда эта новая теория применяется к диетическим привычкам человека, это позволит вам контролировать судьбу своего здоровья.

В настоящее время в науке о питательных веществах существуют свидетельства, которые демонстрируют, что иммунная система человека может быть сверхзаряжена для защиты наших организмов от болезни, и я помогу вам понять эту новую науку и ввести ее в действие у вас на кухне и в жизни.

Пища дает нам энергию и строительные кирпичики для роста в форме калорий, но мы не полностью ценим те бескалорийные микронутриенты в пище, включая те, которые не являются витаминами или минералами под названием «фитохимикаты», которые усиливают и поддерживают нормальную иммунную функцию. Эта книга расскажет вам об этих критических факторах для нормализации и усиления иммунной функции. Применяя комбинации продуктов, которые богаты мощными, усиливающими иммунитет фитохимикатами и другими микронутриентами, возможно предотвратить большинство современных заболеваний. Максимально повышая функцию и защитный потенциал иммунной системы человека, мы можем достичь сверхиммунитета.

Супериммунитет помогает при любом заболевании — от простуды до рака. Это не только о том, как пережить сезонные эпидемии гриппа, это о жизни с превосходным здоровьем до конца дней ваших. Мы говорим не о простом быстром излечении, но о полномасштабном сдвиге в понимании здоровья и благополучия.

Жизнь не без рисков и, конечно, оптимальное питание не в состоянии предотвратить все инфекционные болезни и рак. Тем не менее с достижениями современной медицины, науки о питательных веществах и микробиологии нет причин, по которым большинство серьезных заболеваний не должны стать чрезвычайно малораспространенным явлением.

Я надеюсь, что вы придирчиво и критически подойдете к этой информации. Если вы проделаете это, я думаю, вы найдете, что свидетельства слишком весомы, чтобы игнорировать их, а решение слишком приятное. Суперимммунитет доступен тому, кто выбирает его.

Глава 1

ПИЩА И ЗДОРОВЬЕ ТОЖДЕСТВЕННЫ

Как было обнаружено историками и археологами, все древние цивилизации осознавали, что определенные продукты могут укреплять здоровье и защищать организм от болезней. Употребление с древнейших времен в пищу определенных продуктов и экстрактов высушенных растений в качестве лекарственных средств указывает, что применение знаний о целебных свойствах веществ растительного происхождения началось тысячелетия назад.

Растения представляют собой сложный комплекс биологически активных веществ. Термин «фитохимикаты», означающий «химические вещества растительного происхождения», был придуман для обозначения тех тысяч химических веществ, производимых из растений, которые оказывают слабовыраженный, но глубокий эффект на здоровье и иммунитет человека. Теперь, когда обнаружилось, что формирование повышенного иммунитета у людей зависит от широкого ряда таких химических веществ растительного происхождения, мы можем во всей полноте осознать: ценность продуктов заключается не только в обеспечении нас питательными веществами для собственно роста и физического выживания, но и в их вторичном эффекте, который проявляется возникновением сложных механизмов повышения долголетия и устойчивости к заболеваниям, что не было адекватно оценено в первой половине XX века.

Эволюционируя среди съедобных растений, человек получил возможность пользоваться преимуществами сложных биохимических соединений растительного происхождения, благодаря чему мы можем обеспечить лучшее функционирование клеток человеческого организма... В последние годы мы открыли интереснейшие взаимодействия чрезвычайной сложности, происходящие с нашими клетками, в которых задействован ряд фитохимикатов, поддерживающих защитные и самовосстанавливающие механизмы, о существовании которых в человеческом организме раньше и не подозревали.

Фитохимикаты — это биологически активные химические вещества растительного происхождения, важные для роста и выживания растений, и иммунная система человека развивалась так, что для ее оптимального функционирования эти фитохимикаты также необходимы.

Некоторые возражают против термина «химический» из-за связи значения этого слова с искусственными и ядовитыми веществами, предпочитая называть фитохимикаты фитонутриентами, так что вы будете часто замечать, что эти слова взаимозаменяемы. Однако в самом слове «химический» ничего дурного нет, а термин «фитохимикаты» широко известен и корректно описывает множество этих вновь открываемых веществ, оказывающих сложное влияние на организм человека.

Усиленное питание — вот секрет супериммуннитета, и секрет этот достаточно прост. Нет необходимости становиться экспертом в диетологии, отдав годы на ее изучение и осмысление, если вы понимаете основополагающие принципы, которые служат руководством к выбору ваших основных продуктов питания и способов их приготовления. Подобно сложному и синергетическому естеству иммунной системы человека, растения в природе представляют собой столь же сложные и дивные формы жизни, содержащие тысячи затейливых биохимических веществ и клеток, работающих в гармонии. Животные и растения образовали хрупкие, взаимосвязанные и симбиотические отношения на земле, и наше здоровье и само выживание зависит от растений. Изучая потенциал выживаемости животных и человека, мы должны понимать, что зависим от того, насколько полезна и качественна растительная пища, необходимая нам для подкрепления. Ведь состояние продуктов, которые мы едим, непосредственно сказывается на нашем собственном здоровье. Поедая полезную пищу, мы оздоравливаемся; в противном случае мы заболеваем. По большому счету, мы сделаны из той пищи, которую едим. Как говорится, мы — то, что мы едим.

Увы, поощряя дефицит питательных веществ в течение продолжительного времени, особенно в период роста организма, мы способствуем возможному появлению повреждений на уровне клетки, что приводит к развитию в более старшем возрасте серьезных заболеваний, которые трудно излечить. Вдобавок такой дефицит приводит к снижению иммунитета.

А хорошая новость для всех нас такая: недавние открытия в диетологии дают возможность заработать отличное здоровье посредством того, что мы употребляем в пищу. И, как вы обнаружите, это не только сочетание мощных защищающих веществ в таких продуктах, как ягоды или гранат, которые и сами по себе весьма полезны; будучи представлены в рационе вкупе с зелеными овощами, грибами и луком, они способствуют появлению функции супериммуннитета и дают толчок тем чудесным самооздоравливающим и самозащитным свойствам, которые уже встроены в человеческий геном.

Сочетание этих компонентов более эффективно, чем каждое действующее вещество по отдельности, даже и в большой дозе. К примеру, употребление больших доз витамина С или витамина Е не так эффективно, особенно если ранее не наблюдалось дефицита этих веществ. Определенные фитохимикаты обладают более глубоким и долгодействующим эффектом нейтрализации свободных радикалов по сравнению с известными витаминами-антиоксидантами С и Е. Даже если вы принимаете изрядные дозы натуральных фитохимикатов, изготовленных из зеленых овощей, это еще не даст вам столь же сильную защиту, как сочетание их с сотнями других полезных веществ, обнаруживаемых в богатых питательными веществами продуктах. Действуя совместно, сотни этих недавно открытых микронутриентов работают на то, чтобы запустить ряд механизмов, которые предотвращают повреждения клеток, а также уничтожают серьезно поврежденные клетки, которые нельзя надлежащим образом восстановить, отчего те могут стать опасными организму.

Мой «нутритарианский» подход, который вводит в рацион сочетания продуктов, обладающих наиболее мощным и защищающим действием, является натуральным, нетоксичным и может предотвратить многие человеческие трагедии, не только подстегивая нашу иммунную систему в борьбе с инфекциями и раком, но и предотвращая инфаркты, инсульты и старческое слабоумие.

БЕДА СОВРЕМЕННОЙ ДИЕТЫ, ИЛИ СМЕРТЬ ОТ БАКАЛЕИ

Поскольку современная диета в Америке и в большинстве остальных стран мира изобилует бакалейными продуктами и пищей животного происхождения и содержит столь мало натуральных растительных компонентов, особенно овощей, большинство имеет огромный дефицит фитохимикатов растительного происхождения, что имеет далеко идущие последствия и весьма опасно.

25 лет назад мы благоговели перед витаминами и минералами, а диетологи вряд ли знали о существовании фитохимикатов; теперь же они считаются основным источником микронутриентов в натуральных продуктах, и их эффекты разнообразны и глубоки. Другими словами, только витаминов и минералов явно недостаточно. Для нормального функционирования иммунной системы нам дополнительно требуются сотни фитохимикатов, которые обнаруживаются в натуральных растениях. На рынке появилось множество БАД, которые содержат эти полезные вещества, и их употребление обнадеживает, но ничто не даст такой мощи формированию иммунной системы, как диета, которая содержит надлежащее количество и широкое разнообразие укрепляющих иммунитет веществ из необработанной растительной пищи.

ДАННЫЕ О ПОТРЕБЛЕНИИ ПРОДУКТОВ В США

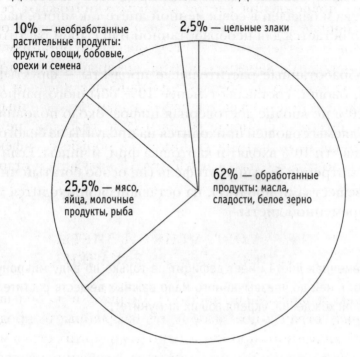

Служба экономических исследований Минсельхоза США, 2005

Сегодня в обычном образе питания более чем 60% калорий приходится на бакалейные товары. Бакалея включает в себя продукты с добавлением подсластителей, изготовленные из белой муки и масел: белый хлеб, бейглы, чипсы, пончики, батончики к завтраку, сухие завтраки, безалкогольные напитки, брецели (крекеры), специи и заправки для салата. Вся эта бакалея содержит пищевые добавки, красители, консерванты для продления срока годности и упакована в пластиковые пакеты или картонные коробки. Процент калорий, приходящихся на бакалею, постепенно возрастал на протяжении последних 100 лет. На долю безалкогольных напитков, сахара, кукурузного сиропа и других подсластителей теперь приходится большая часть рациона питания. За последнее столетие также существенно возросло потребление американцами сыра и курицы. Процент калорий, приходящийся на пищу животного происхождения, в настоящее время превышает 25%. Если продуктов массового животноводства и бакалеи в современной диете так много, насколько же мало остается для необработанной или сырой растительной пищи!

Необработанные растительные продукты — фрукты, бобы, семена, овощи, составляют менее 10% обычного рациона. Но и эти 10% не вполне достоверная цифра: около половины всех потребляемых овощей приходится на продукты из белого картофеля, и в эти 10% входят и картошка фри, и чипсы. Если убрать из рассмотрения белый картофель (не особо богатый питательными веществами продукт), на оставшиеся приходится меньше 5% современной диеты.

> Современная диета имеет дефицит не только по ряду микронутриентов; в ней до чрезвычайного мало важных веществ растительного происхождения, укрепляющих иммунитет.

Вопрос о необходимости их употребления не стоит; нельзя прожить долгую здоровую жизнь без этих веществ. Чтобы назвать некоторые из этих важных антиоксидантов и фитохимикатов, дефицит которых присущ нашему обычному рациону, мы должны познакомиться с широким классом полезных веществ, среди которых все семейство каротинов, включая бета-каротин, альфа-каротин, лютеин, зеаксантин, ликопин и ряд других веществ, которые до предела усиливают такие функции клеток, благодаря которым иммунные клетки могут производить захват и разрушение вредных клеток. Это альфа-липоевая кислота, флавоноиды, биофлавоноиды, полифенолы и фенолокислоты, кверцетин, рутин, антоцианины и проантоцианины, вещества, получаемые из растений рода луковых, сульфиды луковых, глюкозинолаты, изотиоцианаты, лигнаны и пектины.

Другими словами, все эти классы веществ влияют на наше здоровье, и без них состояние нашего организма, а в особенности иммунной системы, катастрофически угнетается.

Несмотря на огромное разнообразие всеразличных теорий питания, практически все они сходятся в том, что овощи «полезны». Споры велись лишь относительно того, в какой степени они полезны на самом деле — данные обсервационных исследований часто недостоверны просто потому, что люди едят слишком мало овощей, чтобы эффект от их воздействия на состояние организма можно было бы измерить. Однако некоторыми длительными исследованиями в самом деле подтверждается, что потребление овощей является наиболее важным фактором в предотвращении хронических заболеваний и преждевременной смерти.

АНТИОКСИДАНТЫ: РАЗНООБРАЗНЫЕ, СЛОЖНЫЕ И ЧРЕЗВЫЧАЙНО ВАЖНЫЕ

Поскольку и бакалея, и продукты животного происхождения не содержат значительных количеств питательных веществ, обладающих антиоксидантными свойствами, а также любых фитохимикатов, современная диета чрезвычайно способствует развитию заболеваний. Так что мы сами «доедаемся» до болезней. Антиоксиданты — это микронутриенты; витамины, минералы и фитохимикаты, которые помогают организму справляться с образованием свободных радикалов. Без достаточного количества антиоксидантов избыточный объем свободных радикалов запускает воспаление и проводит к преждевременному старению. Витмаины С, Е, фолаты, альфа- и бета-каротин, селен, а также различные фитохимикаты обладают антиоксидантными свойствами.

Подавляющее количество антиоксидантов оказываются в нашем организме посредством употребления фруктов, овощей и других натуральных растений, а в продуктах животного происхождения в сколько-нибудь существенных количествах не встречаются. Также нет их и в бакалее. Помимо антиоксидантных, фитохимикаты обладают широким рядом других полезных эффектов, которые в настоящий момент изучаются и роль которых еще предстоит осознать.

С ростом активности свободных радикалов, когда они покидают свои места в клетке и начинают воздействовать на соседние ее области, происходит окислительное повреждение. Свободные радикалы не являются «абсолютным злом», в действительности они играют важную роль. Они уничтожают отходы жизнедеятельности клеток, а клетки иммунной системы пользуются свободными радикалами при атаке и удалении клеток, которые могут быть опасными для нас, если продолжат вырождаться и разовьются в рак. Однако проблема свободных радикалов и других ядов в клетках состоит в том, что при отсутствии относительно мощного ежедневного воздействия со стороны широкого диапазона антиоксидантов и фитохимикатов, как первоначально задумывалось природой, количество свободных радикалов возрастает и они покидают области локализации.

Свободные радикалы начинают разрушать уже и здоровую ткань, не ограничиваясь отходами и тканями аномальными. Это повреждает клетки и повышает концентрацию клеточных ядов.

Поскольку овощи столь богаты полезными веществами, употребление их, в особенности зеленых овощей, является простым способом определить общую антиоксидантную емкость диеты.

Один из способов, которыми ученые могут измерить количество потребляемых овощей, является анализ крови на альфа-каротин.

Наиболее изученным каротиноидом является бета-каротин — его много в моркови и других оранжевых овощах, но альфа-каротин более точно отражает употребление овощей, во-первых, потому, что альфа-каротин отсутствует в большинстве мультивитаминов и БАД, а во-вторых, он также является прекрасным маркером употребления высокопитательных овощей, поскольку темно-зеленые и оранжевые овощи — самый богатый источник альфа-каротина. Альфа-каротин — это один из более чем 40 различных каротиноидов — семейства антиоксидантов с достоверно доказанными свойствами защиты от болезней и продления жизни.

В одном из недавно проведенных исследований у всех участников замерялся альфа-каротин, а затем на протяжении более чем 14 лет отслеживались все смерти в группе исследуемых. Обнаружилось, что повышение альфа-каротина соотносится со снижением риска смерти от всех причин, за исключением несчастных случаев. У лиц с наиболее высоким содержанием альфа-каротина риск смерти был на 39% меньше, чем у лиц с самым низким содержанием этого вещества. Аналогичные соотношения были получены для альфа-каротина и риском смерти не только от сердечно-сосудистых заболеваний и рака, но и риском смерти от других причин, в частности инфекции.

Альфа-каротин сам по себе, как было доказано, приносит существенную пользу как антиоксидант; но более важным является то, что альфа-каротин — маркер тысяч дополнительных веществ в зеленых и оранжевых овощах, которые синергетически работают на страже здоровья нашего тела.

> Зеленые овощи имеют самую большую общую «питательную плотность», то есть в них содержится самое большое количество микронутриентов на калорию, и, естественно, это продукты, наиболее богатые альфа-каротином.

Это объемное, продолжительное исследование хорошо подтверждает мои рекомендации по выбору рациона, богатого питательными веществами, поскольку многие продукты, богатые альфа-каротином, оказываются насыщенными и множеством других микронутриентов. Когда диета оптимальна как по разнообразию микронутриентов, так и по их количеству, возможно существенно уменьшить старческие заболевания и увеличить продолжительность жизни. Другими словами, когда мы едим много разных необработанных овощей, наши шансы на то, чтобы улучшить здоровье и жить дольше, возрастают.

Некоторые примеры продуктов с высоким отношением содержания альфа-каротина на калорию:
- ♦ Китайская капуста
- ♦ Белокочанная капуста
- ♦ Красные перцы
- ♦ Морковь
- ♦ Мангольд
- ♦ Зеленый перец
- ♦ Спаржа
- ♦ Листовая капуста
- ♦ Брокколи
- ♦ Горох
- ♦ Тыква крупноплодная

Диета, бедная фитохимикатами, в значительной степени повинна в слабой иммунной системе. Народы с намного более высоким потреблением овощей имеют намного меньшие показатели по заболеванию раком, и во все времена нации, отличающиеся наибольшей продолжительностью жизни, отличались также и самым высоким уровнем потребления овощей в рационе.

Фитохимикаты — самое важное открытие в диетологии за последние 50 лет. Было обнаружено несколько сотен питательных веществ — растительных фитонутриентов, и детально изучено около 150, хотя молекул растительного происхождения, поддерживающих иммунную систему человека, может оказаться и больше 1000. Концентрация фитохимикатов часто подчеркивается ярким цветом — черным, синим, красным, зеленым и оранжевым. Классы фитохимикатов чрезвычайно разнообразны по структуре и уникальным воздействиям на организм, поэтому наиболее полезно употребление широкого разнообразия таковых.

Фитохимикаты бывают следующих типов: вещества, получаемые из растений рода луковых, сульфиды луковых (органические полисульфиды), антоцианины, беталаины, куместаны, флавоноиды, глюкозинолаты, индолы, изофлавоны, лигнаны, лиминоиды, органосульфиды, пектины, фенолы, фитостеролы, терпены (изопреноиды), эфиры тирозола, органосульфиды, ингибиторы протеазы и в каждом типе — сотни веществ.

Многие фитохимикаты, содержащиеся в свежесобранных растительных продуктах, теряются или разрушаются при современной технике обработки пищи, в том числе в некоторых случаях и при кулинарной обработке. Растительная пища — набор очень сложных веществ, и точная структура и большинство полезных компонентов, содержащихся в ней, все еще не полностью идентифицированы.

Функционирование и образование иммуноцитов, поддерживаемых при широком воздействии ряда фитохимикатов в их изначальной форме, отвечает за развитие большинства предотвратимых заболеваний, включая рак.

Просто для ясности: здесь я говорю, что кусок курицы — все равно что печенье. Оба продукта не несут значительной антиоксидантной или фитохимической нагрузки. И продукты животного происхождения, и бакалея отличаются нехваткой этих поддерживающих иммунитет нутриентов. Чем больше мы едим пищи, бедной фитохимикатами, тем слабее наш иммунитет и выше риск развития заболеваний, в том числе рака. Так что мода на «бедную жирами диету», в основе которой яичный белок, белое мясо и лапша, в действительности разрушает иммунную систему и склонна вызывать рак по разным причинам. Основная причина — это недостаток защитных фитохимикатов.

В дальнейших исследованиях было обнаружено, что фитохимикаты выполняют оборонную функцию, которую не выполнить витаминам или минералам, в том числе:
♦ Индуцируют детоксифицирующие ферменты
♦ Контролируют образование свободных радикалов
♦ Дезактивируют и обезвреживают агенты, вызывающие рак

♦ Защищают структуры клетки от повреждения токсинами
♦ Запускают механизмы восстановления поврежденной последовательности ДНК
♦ Препятствуют репликации клеток с поврежденной ДНК
♦ Обладают полезными антигрибковыми, антибактериальными и антивирусными свойствами
♦ Подавляют функционирование поврежденной или генетически измененной ДНК
♦ Повышают цитотоксическую (разрушительную) силу иммуноцитов, чтобы убивать микробы и раковые клетки

Это означает, что фитохимикаты являются топливом, которое запускает механизмы защиты от рака в нашем организме.

> Диета, богатая фитохимикатами, — это лучшая артиллерия в войне против рака.

Плюс такая защита включает силу разрушения клеток иммуноцитами для уничтожения микробов (вирусов и бактерий) и наших собственных клеток, если они были идентифицированы как аномальные и пока не стали раковыми. С ростом числа нарушений ДНК клетка становится все более неправильной, и в ответ иммунная система пытается уничтожить ее. Процесс, когда одна из аномальных, предраковых или раковых клеток стимулируется к смерти до того, как сумеет что-то разрушить, называется апоптозом.

ДОКАЗАТЕЛЬНАЯ БАЗА ПИТАНИЯ, ПОЛУЧЕННАЯ МЕТОДАМИ НАУКИ

Употребление пищи, богатой питательными веществами, и ее влияние на здоровье человека продолжает оставаться предметом жарких споров и даже скептицизма, особенно когда человек пытается защитить свои прежние воззрения или диетические предпочтения. Тем не менее огромное количество научных данных, подтверждающих преимущества потребления такой пищи для иммунной системы ввиду усиления защитных механизмов организма, борющихся как с инфекцией, так и с раком, за последние годы еще более возросло, и тема эта уже даже не ставится под сомнение учеными-диетологами.

Любой, кто изучает вопросы питания достаточно глубоко и следит за последними исследованиями, обнаружит: сложно игнорировать тот факт, что определенные натуральные продукты, которые я называю «суперпродукты», содержат микронутриенты, обладающие доказанными защитными свойствами. Получены решающие доказательства того, что рацион, существенным образом состоящий из богатых микронутриентами суперпродуктов, и есть ваш секрет к отличному здоровью и даже источнику молодости.

В 1930-х гг. ученые обнаружили витамины, минералы и части растений, которые обеспечивают нам «топливо» в форме калорий. Питательные вещества растений, содержащие калории, были названы учеными макронутриентами. Макронутриенты — это жиры, углеводы и белки. Все они содержат калории и нужны нам для выживания. Вода также считается макронутриентом, хотя калорий не содержит.

МАКРОНУТРИЕНТЫ	МИКРОНУТРИЕНТЫ
Жиры	Витамины
Углеводы	Минералы
Белки	Фитохимикаты
Вода	Ферменты

Тогда мы обнаружили, что дефицит некоторых микроэлементов может привести к различным заболеваниям. Дефицит микронутриентов может привести к острым заболеваниям с такими экзотическими названиями, как цинга[1], пеллагра[2] или бери-бери[3]. Заболевания, вызванные дефицитом питательных веществ, были широко распространены в США до 1940-х годов, когда Управление по контролю за продуктами и лекарственными веществами США обязало усиливать (добавлять микронутриенты) в обыденную пищу — хлеб и молоко. Эти заболевания все еще весьма распространены в менее обеспеченных странах.

♦ Дефицит витамина А – ксерофтальмия (болезнь глаз и слепота)

♦ Дефицит витамина С – цинга

♦ Дефицит витамина D — рахит и остеопороз

♦ Дефицит йода — зоб и кретинизм

♦ Дефицит железа — анемия и задержка умственного развития

♦ Дефицит тиамина (B_1) — бери-бери

♦ Дефицит ниацина (B_3) — пеллагра

К 1940 г. доходы от производства пищевых добавок исчислялись миллиардами, а людям советовали пить апельсиновый сок, принимать витамин С в капсулах, а пищевики начали добавлять в бакалею витамины А, D и В. В 1950-х и 1960-х наблюдался рост бакалеи, обогащенной витаминами. В конце концов в развитых странах бакалея стала основным источником калорий, вытеснив свежие продукты.

В 1960-х по всей Америке стали распространяться предприятия фастфуда, и к 1970-му эта отрасль пищевой промышленности тянула на 6 миллиардов долларов. За последующие 20 лет они появились всюду, и сегодня индустрия фастфуда только по продажам в США побила планку в 120 миллиардов долларов. Обогащение продуктов микронутриентами превратилось в стратегию по предотвращению дефицита их в бакалее, которая изначально их не содержит. Высококалорийная

---

[1] Цинга — болезнь, вызываемая острым недостатком витамина С (аскорбиновая кислота), который приводит к нарушению синтеза коллагена, и соединительная ткань теряет свою прочность.

[2] Пеллагра — заболевание, один из авитаминозов, который является следствием длительного неполноценного питания (недостаток витамина РР и белков, в особенности содержащих незаменимую аминокислоту триптофан).

[3] Бери-бери — авитаминоз B_1, алиментарный полиневрит, заболевание, возникающее вследствие недостатка в пище витамина B_1 (тиамина).

пища была повсюду, а о микронутриентах забыли. А сегодня слишком многие из нас живут на бакалее, полуфабрикатах и фастфуде, почти не употребляя зелени, грибов, бобов и семян.

Проблема была в том, что раньше диетологи и власти полагали, что мы можем предотвратить заболевания, вызванные бедностью рациона, плохим выбором продуктов или неадекватным приемом продуктов, если станем добавлять отдельные микронутриенты, которых недоставало в диете. Даже при том, что возмещение недостающих нутриентов предотвратило развитие заболеваний, обусловленных бедностью питания, такой подход стимулировал революцию бакалеи и джанкфуда, уведя нашу диету и здоровье не по той дорожке.

Хотя обогащенная микронутриентами бакалея и способна предотвратить такие заболевания, как цинга, подобная установка создает сдвиг в нашей диете, который существует до сих пор. Такая трансформация не только способствует деградации нашей иммунной системы, но и стимулирует развитие у нас других вероятных заболеваний. Такое избыточное упрощение представлений о нормах питания человека приводит к появлению медицинских продуктов — смеси для младенцев, жидкое спецпитание в больницах, обогащенные питательными элементами напитки и пищевые добавки, которые только развивают кризис здравоохранения и, определенно, рост раковых заболеваний.

ВЗРЫВ ЗАБОЛЕВАНИЙ РАКОМ В СОВРЕМЕННОМ МИРЕ

На протяжении 70 лет, с 1935 по 2005 г., наблюдался неуклонный рост заболеваний раком. С экспансией бакалеи и фастфуда в развивающиеся страны мы увидели, как в сельскохозяйственных регионах мира стало возрастать количество раковых заболеваний и ожирения. В результате получаем поколение с катастрофическим ростом числа людей, страдающих нарушениями работы иммунной системы, аллергиями, аутоиммунными заболеваниями и раком.

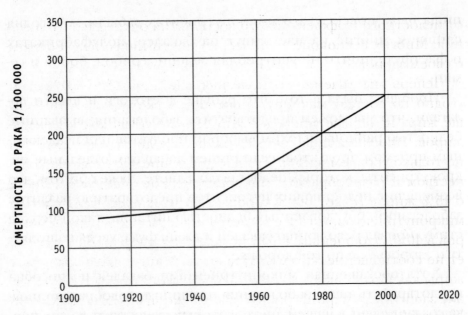

Усредненные тенденции смертности от рака в 13 современных странах

В 1960-х и 1970-х годах большинство диетологов занимались изучением макронутриентов и искали способ определить наилучшее соотношение жиров, углеводов и белков для оптимального здоровья. Врачи и диетологи считали, что наша потребность в микронутриентах может быть удовлетворена путем употребления мультивитаминов или других добавок, и не видели необходимости обеспечивать наши потребности в витаминах и минералах через богатую микронутриентами пищу. Концентрация микронутриентов в пище в целом игнорировалась, поскольку наука на тот период времени еще не идентифицировала и не осознала критически важную зависимость функционирования иммунной системы от продуктов, в которых содержались сотни пока не открытых органических веществ.

Даже сегодня многие все еще считают, что правильное питание должно быть неким идеальным соотношением макронутриентов; такой подход приводит к появлению защитников белковой диеты, адвокатов высокоуглеводной диеты, сторонников низкоуглеводной диеты и так далее — все по разным лагерям. Увы, акцент на макро-, а не микронутриентах уводит внимание от целостного и эффективного восприятия оптимального питания. Многих беспокоит свой вес, но почти никто не заботится о своем здоровье.

Теперь мы знаем, что полезная диета может быть какой угодно по составу макронутриентов — может содержать больше жира и меньше углеводов или больше углеводов и меньше жиров. Проблема лишь в том, что польза диеты определяется не только уровнем жиров и углеводов. Определяется она количеством и разнообразием микронутриентов. Например, диета с 15% жиров может быть хороша или плоха в смысле состава микронутриентов, и то же касается и диеты с содержанием жиров в 40%. Это очень важный момент. За ваше здоровье отвечает не соотношение жиров и углеводов. Многие рассматривают жиры как источник проблем и ошибочно игнорируют воздействие защитных микронутриентов. Недавно мы узнали, что, когда в пище присутствуют жиры, самые мощные микронутриенты растительного происхождения усваиваются организмом более активно.

Главное здесь — когда организм испытывает дефицит в микронутриентах растительного происхождения, мы ослабляем свою иммунную систему и тем самым подвергаем себя воздействию инфекций и рака.

Путь, по которому мы движемся, поедая больше бакалеи, полуфабрикатов и кормя фастфудом детей, заставляет меня обеспокоиться потенциальным всплеском рака груди у более молодых женщин в ближайшие 20—30 лет или даже скорее.

Надеюсь, что вместе мы поможем приобрести известность мощным иммунностимулирующим микронутриентам растительного происхождения и доведем до широкой аудитории те невероятные возможности, которые они дают для защиты наших семей и нас самих. Ответ прост: нам просто нужно кормить свой организм особенно мощным топливом, то есть пищей, наиболее богатой микронутриентами.

«ЗЕЛЕНЬ ПРАВИТ БАЛ»

Микронутриенты — это питательные вещества, необходимые для нашего выживания и долголетия, которые не содержат калорий; они не обеспечивают нас «топливом» или энергией. Ключ к высококачественному питанию — получать достаточное количество микронутриентов, в то же время не потребляя излишних калорий. Важность микронутриентов и понимание того, что количество их исчисляется тысячами и каждый обладает нужным и полезным эффектом на иммунитет человека, — это самое большое открытие в диетологии за последние 50 лет.

> Для получения достаточного количества микронутриентов требуется есть много овощей. К тому же овощи относительно низкокалорийны, а поэтому их можно есть в больших количествах, не опасаясь избыточного потребления калорий.

Диетологи вновь и вновь демонстрируют, что люди, которые едят больше натуральных растительных продуктов — овощей, фруктов, бобовых, — заболевают с меньшей вероятностью. Но все ли овощи обладают такими защитными свойствами? Если мы хотим разработать диету для супериммунитета, следовало бы узнать, какие продукты обладают наиболее сильным эффектом. А затем мы могли бы есть эти продукты в больших объемах ежедневно, наполняя наши тела защитными веществами, которые в них содержатся.

Так какие же продукты обладают наиболее сильным эффектом? Давайте подсчитаем содержание поддерживающих иммунитет микронутриентов в различных продуктах.

Для присвоения каждому продукту определенного количества очков рассматривались порции, равные по калорийности. Оценивалось содержание следующих питательных веществ: кальций, каротиноиды (бета-каротин, альфа-каротин, лютеин, зеаксантин, ликопен), клетчатка, фолаты, глюкозинолаты, магний, селен, витамин С, витамин Е, цинк, фитостеролы, резистентный крахмал, флавоноиды. Содержание питательных веществ, обычно выражающееся в разных единицах измерения (мг, мкг, МЕ), были приведены к проценту рекомендуемой дозы потребления, так что каждое питательное вещество может быть измерено единообразно. Если для продукта нет

«РЕЙТИНГ ПИТАТЕЛЬНОЙ ПЛОТНОСТИ РАЗЛИЧНЫХ ПРОДУКТОВ» ОТ ДОКТОРА ФУРМАНА

- Браунколь[1] 100
- Листовая капуста 100
- Брюссельская капуста 90
- Китайская капуста 85
- Шпинат 81
- Рукола 76
- Цветная капуста 60
- Белокочанная капуста 55
- Салат Ромэн 55
- Брокколи 46
- Спаржа 46
- Морковь 40
- Миндаль 37
- Льняное семя 37
- Зеленый перец 34
- Кунжут 30
- Лук репчатый 30
- Вишня 28
- Земляника 27
- Грибы 27
- Помидоры 25
- Голубика высокорослая 19
- Чечевица 19
- Грецкий орех 18
- Апельсины 18
- Фасоль 18
- Семена подсолнечника 18

- Канталупа 17
- Кешью 13
- Авокадо 11
- Зеленый горошек 11
- Салат Айсберг 11
- Огурцы 11
- Сыр Тофу 10
- Яблоки 9
- Кукуруза 9
- Бананы 7
- Арахисовое масло 6
- Лосось 5
- Овсяные хлопья 4
- Белый картофель 3
- Обезжиренное молоко 2
- Цельнозерновой хлеб 2
- Оливковое масло 2
- Белый хлеб 1
- Куриная грудка 1
- Яйца 1
- Паста (макароны) из белой муки 1
- Говяжий фарш, 85% мяса 4
- Сыр Чеддер низкокалорийный 6
- Картофельные чипсы 9
- Кола 10

---

[1] Браунколь — овощное растение, разновидность вида, капуста огородная семейства капустных.

рекомендуемой суточной дозы потребления, очки присваивались на основании доступных исследований и текущего понимания пользы этих факторов. Дополнительные очки присваивались, если продукт проявлял антиангиогенную активность, или содержал органосульфиды, ингибиторы ароматазы или ресвератрол. Очки вычитались, если в продукте содержались трансжиры, или избыточное количество насыщенных жиров, холестерина, натрия или присутствовали добавки, как в бакалее/полуфабрикатах. Суммарный процент рекомендуемой ежедневной дозы потребления или очки по каждому питательному веществу, с учетом добавленных или минусованных очков, затем умножались так, чтобы наибольшее полученное число было равно 100, тогда все продукты можно проранжировать, присвоив очки от 1 до 100.

Как видно из этого списка, когда мы рассматриваем содержание поддерживающих иммунную систему микронутриентов, по очкам побеждают зеленые овощи. Неудивительно, что именно эти продукты имеют наиболее тесную взаимосвязь с защитными свойствами организма, направленными на борьбу с раком и сердечными заболеваниями. Обзор более 206 эпидемиологических исследований показывает, что употребление сырых зеленых овощей наиболее прочно и надежно связывается с уменьшением рака всех типов, включая рак желудка, поджелудочной, прямой кишки и груди. Так сколько зеленых овощей вы ежедневно едите?

ВСЕ ДЕЛО В ТОМ, ГДЕ АКЦЕНТ

Большинство специалистов в области здравоохранения сегодня согласны с тем, что в нашей диете должно быть увеличено количество порций полезных фруктов и овощей. Я не согласен.

Думать о нашей диете таким образом — это неверно описывать проблему. Фрукты, овощи, бобы, семена и орехи не нужно *добавлять* в нашу диету, которая способствует развитию заболеваний; **эти продукты должны стать основой нашего питания.**

Как только мы осознаем это очень важное изменение в мышлении и начнем строить нашу диету на основе фруктов, овощей, бобов, семян и орехов, только тогда мы можем добавлять в рацион продукты других видов.

ПИЩЕВАЯ ПИРАМИДА ДОКТОРА ФУРМАНА

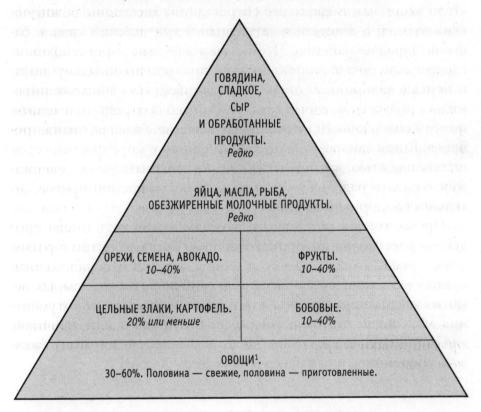

ГОВЯДИНА, СЛАДКОЕ, СЫР И ОБРАБОТАННЫЕ ПРОДУКТЫ.
Редко

ЯЙЦА, МАСЛА, РЫБА, ОБЕЗЖИРЕННЫЕ МОЛОЧНЫЕ ПРОДУКТЫ.
Редко

ОРЕХИ, СЕМЕНА, АВОКАДО.
10–40%

ФРУКТЫ.
10–40%

ЦЕЛЬНЫЕ ЗЛАКИ, КАРТОФЕЛЬ.
20% или меньше

БОБОВЫЕ.
10–40%

ОВОЩИ[1].
30–60%. Половина — свежие, половина — приготовленные.

В пищевой пирамиде продукты, которые потребляются в наибольшем количестве, лежат в ее основании. Однако стандартная американская пищевая пирамида — источник, по которому большинство американцев впервые узнает о связи здоровья и питания, в своем основании не имеет продуктов, богатых питательными веществами. Это одна из причин, по которой так много американцев имеют неправильные представления о пи-

---

[1] Исключая картофель.

тании и страдают от ожирения и предотвратимых заболеваний. Не кажется ли вам, что логично было бы положить наиболее полезные и богатые микронутриентами продукты в основание пищевой пирамиды? Разве не должны мы есть больше полезной пищи, а вредной — меньше?

Моя пищевая пирамида разработана так, чтобы население стало здоровым и ежегодно сберегала бы миллионы человеческих жизней и завершила затратный и трагический кризис системы здравоохранения. Чтобы здоровье было превосходным, следует есть больше пищи, богатой питательными веществами, и меньше калорийной пищи. Следовательно, на вершине пирамиды продукты, которые следует употреблять редко — с самым низким содержанием питательных веществ: бакалея, чипсы, печенья. Когда ландшафт потребления пищи в мире формируется питательностью, как представлено на пирамиде выше, мы сможем ожидать радикального повышения ожидаемой продолжительности здоровой жизни.

Проще говоря, это значит, что нам нужно есть много продуктов растительного происхождения, богатых питательными веществами: овощей, фруктов, бобов, орехов и семян. И нам следует есть намного меньше продукции животноводства, равно как и существенно снизить, а то и вовсе отказаться от потребления абсолютно пустой в смысле питательности или ядовитой для организма пищи: сахара, подсластителей, белой муки, бакалеи, рафинированных масел и фастфуда.

ВАША ЗАМЕЧАТЕЛЬНАЯ ИММУННАЯ СИСТЕМА

Пришло время по-другому взглянуть на то, что мы едим, и начать доверять чудесным исцеляющим и защитным силам своего организма.

Для всех нас пришло время пересмотреть представление о том, что вирусы — единственная или даже главная причина серьезных заболеваний, ассоциирующихся с вирусами. Зачастую подверженность вирусам, их присутствие и связь их с заболеванием и осложнениями не единственная и даже не основная причина, вызвавшая болезнь. Разумеется, воздействие вирусов и размножение их в организме есть ядро вирусных инфекций. Однако не является общепризнанным, что вирус адаптируется к нашему организму и становится опасным, а также размножается вследствие наличия способствующей заболеваниям среды хозяина, созданной отсутствием адекватных питательных веществ. В большинстве случаев, когда вирусы попадают в здоровый, правильно питающийся организм, они остаются безвредными.

Наша уязвимость к первоначальному попаданию вируса в организм и наша неспособность побороть вирус после его проникновения напрямую определяется качеством нашей диеты до того, как мы подверглись влиянию микроба.

Это означает, что обедненная питательными веществами диета не только делает нас более восприимчивыми к вирусам, но еще и существенно влияет на продолжительность и тяжесть заболевания.

Плохое питание настолько распространено, что, по нашим прогнозам, 98% американцев и европейцев рискуют приобрести серьезное заболевание. Вкупе с повышенной резистентностью бактерий к лечению из-за неадекватного применения антибиотиков это привело к наступлению новой эры современной науки о здоровье — проявились новые опасные заболевания. Смертность от инфекционных заболеваний в период с 1980 по 1992 г. в США возросла на 58%, и с тех пор эта тенденция не изменилась. Хироси Накадзима, будучи генеральным директором Всемирной организации здравоохранения, заявил: «Мы находимся на грани глобального кризиса в инфекционных заболеваниях».

Традиционно этиология, или происхождение как вирусных, так и бактериальных инфекций, включает в себя следующие элементы. Вот основные факторы, определяющие, заболеете ли вы или нет, а если заболеете, насколько тяжелым будет ваше состояние.

1. *Объем инокулята.* Другими словами, как много вирусов или бактерий воздействовало.
2. *Вирулентность воздействия.* Или насколько силен вызывающий болезнь агент или микроб.
3. *Иммунная реакция хозяина,* и есть ли возможность для запоминания иммунной системой этого или аналогичного микроба, что может способствовать быстрому и потенциально защищающему иммунному ответу. Или может ли иммунная система быстро удалить вирус до того, как он размножится в больших количествах.
4. *Состояние питания и здоровья хозяина,* определяющее весь спектр способностей иммунной системы — от плохого до адекватного. То есть может ли иммунная система замедлить и в конце концов подавить проникновение вируса в нормальные клетки.

Большей частью перечисленных выше факторов риска мы управлять не можем. Разумеется, мытье рук и другие надлежащие гигиенические процедуры, например не прикасаться к своему лицу, могут снизить в некоторой степени риск попасть под воздействие микробов. Однако один основной фактор очень хорошо поддается контролю с нашей стороны, и это может изменить исход событий. А именно: мы можем обеспечить полноценную питательную достаточность. Это понятие обозначает, что присутствует достаточное количество и разнообразие всех известных и неизвестных микронутриентов. Очень немногие из нас могут этим похвалиться, поскольку нынешняя модель питания содержит слишком много продуктов, прошедших обработку, в которых микронутриенты отсутствуют. Для большинства из нас достижение полноценной питательной достаточности потребует изменения диеты; необходимо будет начать есть все поддерживающие иммунитет питательные вещества, которые сможем получить.

Воздействие вируса, которое вызвало бы серьезное или даже угрожающее жизни инфицирование человека, питающегося по обычной диете, не привело бы даже к появлению симптомов заболевания у человека, не страдающего недостатком питательных элементов. Давайте здесь на минутку остановимся и вернемся к последствиям этого. Сейчас у нас есть научные доказательства, которые ясно демонстрируют опасность дефицита питательных веществ. И до сих пор слишком многие из нас не осведомлены о необходимости таких веществ, которые обеспечивают и укрепляют наше здоровье. Вместе мы сможем это изменить.

Часто мы слышим следующее: «Вирус атаковал его сердце» или даже «Рак был вызван вирусом», и гораздо реже рассматриваются причины, из-за которых вирус оказался болезнетворным. Мы же не просто мишени в ожидании атаки; здоровый организм чрезвычайно резистентен к вирусам. Уже было продемонстрировано, что дети, в рационе которых больше овощей, меньше подвержены инфекциям. Хорошо иллюстрируется это исследованием, проведенным на вьетнамских детях, еда которых относительно малопитательна. Случайным образом выбранные маленькие дети в возрасте от 5 месяцев до 2 лет на местах распределялись по двум группам: с усиленным питанием и контрольной. В группе с усиленным питанием больше внимания уделялось овощам и богатой микронутриентами пище, а контрольная группа придерживалась традиционной рисовой диеты. В течение периода наблюдения дети в сообществах с усиленным питанием почти вполовину меньше заболевали респираторными заболеваниями, чем дети из контрольных сообществ. В научных кругах теперь принято считать, что дефицит микронутриентов вносит вклад в заболеваемость и смертность от инфекционных заболеваний и что для улучшения здоровья человека необходима диета, более обогащенная микронутриентами.

В РЕЗУЛЬТАТЕ МУТАЦИЙ ВИРУСЫ СТАНОВЯТСЯ БОЛЕЕ ОПАСНЫМИ

Взаимосвязь между состоянием питания и иммунной системой была темой исследований свыше 50 лет. За последние 20 лет появилось намного больше понимания сложности иммунного отклика и его зависимости от факторов питания. Серьезные подвижки в нашем понимании иммунной системы и факторов питания показали замечательное соответствие между адекватным наличием питательных веществ в организме человека и иммунитетом практически для всех известных инфекционных агентов.

Вот два основных положения, которые мы будем рассматривать дальше.

1. Состояние насыщенности питательными веществами организма хозяина критично для развития или предотвращения вирусной и бактериальной инфекций. Дальше мы обсудим, как и почему этот наиболее важный и контролируемый фактор игнорируется.
2. На основе новых открытий в науке был сделан вывод, что мутация вируса к более патогенным или опасным формам происходит из-за дефицита питательных веществ в организме хозяина.

Концепция сильной и надежной защитной реакции организма, основанной на достаточности питательных веществ, не просто мнение или наблюдение; это реальность человеческой физиологии, подтверждаемая сотнями научных исследований. Когда организм испытывает недостаток питательных веществ, вирусная инфекция может вызвать серьезное или даже смертельное заболевание, чего не происходит при отсутствии дефицита питательных веществ. Оптимально работающая иммунная система блокирует инфекцию или, если инфицирование произошло, с гораздо большей вероятностью обеспечивает менее серьезное ее протекание.

Обсуждая взаимосвязи между питанием и инфицированием, традиционно диетологи рассматривали воздействие питания только на организм хозяина (то есть на наш). На протяжении многих лет было хорошо известно, что плохое питание взаимосвязано с различными физическими барьерами или иммунным откликом и делает организм более восприимчивым к атаке микробов, в том числе вирусов. Новые данные теперь показывают, что уровень питания хозяина может даже напрямую влиять на генетический тип вируса, меняя его вирулентность (патогенность, болезнетворность). Так что отличное питание как прямо, так и косвенно способствует резистентности к инфекционным заболеваниям.

> Самая мощная артиллерия, которая у нас есть для защиты себя от потенциально опасных эффектов гриппа и других инфекционных заболеваний, — это совершенное питание.

Если у вас дефицит почти всех известных витаминов и минералов, исследования показывают, что защитная функция организма может пострадать. Самое примечательное — было показано, что если диета бедна зелеными и желтыми овощами (с высоким содержанием каротиноидов), вирусные заболевания принимают более серьезные формы. Множество микронутриентов, включая лютеин, ликопен, фолаты, биофлавоноиды, рибофлавин, цинк, селен и множество других выполняют иммуномодулирующие функции. Позже мы изучим все это намного подробнее. Но это означает, что их наличие или отсутствие усиливает или ослабляет способности иммунной системы, воздействуя на восприимчивость к инфекционным заболеваниям и продолжительность и результат таких заболеваний.

Способность иммунной системы, обеспеченной всеми питательными веществами, предотвращать мутации вируса, результатом которых стала бы для него возможность обходить разрушающие свойства иммунной системы, была открыта во многих исследованиях, даже включая исследования ВИЧ. Дефицит микронутриентов распространен во многих популяциях, инфицированных ВИЧ, и многочисленные исследования сообщают, что дефицит этот ослабляет иммунный отклик и связывается с ускоренным прогрессированием ВИЧ-заболевания. Например, многочисленные исследования показали, что распространение СПИДа существенно замедляется и даже становится невозможным при совершенном питании. Это значит, что богатая микронутриентами диета без недостатков питательных веществ может быть наиболее важным фактором при появлении инфекции, который позволит нашему организму взять под контроль размножение вируса в организме и предотвратить такую мутацию вируса, после которой захват его и уничтожение стали бы невозможными. Размножение вируса и изменения вируса после размножения позволяют ему скрыться от наблюдения и контроля со стороны нашей иммунной системы. Но такие структурные модификации при размножении вируса происходят только в организме, испытывающем недостаток питательных веществ.

Новейшие исследования показали, что вирус гриппа также демонстрирует повышение вирулентности в организме, испытывающем недостаток питательных веществ, который способствует модификации генома вируса. То есть ваш обычный грипп может мутировать и обрести способность вызывать более серьезные повреждения в легких. Хотя много лет было известно, что плохое питание может влиять на способность организма-хозяина отвечать на инфицирование, открытие, что питание может влиять на генетическую последовательность патогена (болезнетворного микроба) — это важная находка и предмет для будущих исследований.

Хорошим примером является недавнее научное исследование, изучавшее состояние насыщенности питательными веществами пациентов с нейропатией (повреждениями нервов) после вирусного заболевания. Люди, нервная система которых повреждена вирусом, как обнаружилось, испытывали недостаток рибофлавина, витамина E, селена, альфа- и бета-каротина и ликопена. При приеме этих веществ в виде добавок заболевание стало подавляться, что позволяет предположить связь патогенности определенного вируса (способности болезнетворного микроба порождать инфекционное заболевание) и недостатка питательных веществ в организме хозяина.

Как предполагается данными, нутритарианская диета является эффективным способом вмешаться в развитие вирусных заболеваний, в том числе и для ВИЧ-позитивных пациентов, а также для таких заболеваний, как мононуклеоз, герпес и грипп, поскольку мутации вируса будут подавляться, ограничивая его вирулентность или болезнетворный потенциал.

Увы, большинство из того, что потребляет современный человек, ослабляет, а не усиливает их нормальную сопротивляемость простым вирусным инфекциям. Несмотря на развитие науки, которая доказывает критическую важность тысяч защищающих микронутриентов в царстве растений, большинство современного мира потребляет диету, богатую обработанными злаками, маслами, сладостями и животными продуктами. В США, например, меньше 5% потребляемых калорий приходится на фрукты, овощи, семена и орехи. А это самые богатые микронутриентами продукты.

> Те, кто питается по стандартной американской диете с крайне низким содержанием питательных веществ на калорию, пребывают в постоянно истощенном состоянии.

Это сочетание избыточного веса при истощенности является поистине угрожающей жизни эпидемией в современном мире, что приводит к кризису системы здравоохранения и трагедиям, которые можно было бы предотвратить. С повальным потреблением бедной питательными веществами бакалеи недостаточность питательных веществ стала нормой.

Глобальные демографические последствия пандемии гриппа 1918–1919 гг. продолжают поражать исследователей и ученых. При рассмотрении последствий этой вспышки через всесторонний анализ способов передачи и распространения, смертности и других отличительных особенностей пандемии в различных регионах оказывается, что очень важно учитывать негативные особенности и привычный рацион питания каждой отдельной страны. Например, Иран был одним из регионов, наиболее пострадавших от пандемии, и уровень смертности там значительно выше, чем в большинстве регионов мира. Исследования показывают, что голод, опиум, малярии, анемии были принципиально ответственными за высокую смертность в Иране среди инфицированных гриппом. Лица с нарушенным иммунитетом пострадали сильнее всего. Как и сегодня, диета в Западной Европе того времени в значительной степени состояла из мяса, хлеба, картошки, сала, сливочного масла и сыра при минимуме свежих продуктов.

В прошлом ученые сосредоточивались на последствиях недостаточного питания для самих людей, не обращая внимание на последствия для микробов. Теперь мы знаем, что более опасные микробы мутируют внутри организма хозяина, испытывающего недостаток питательных веществ — а в былые времена диета была остронедостаточной. При отсутствии знаний о потребности в витамине С, фенолах и фитохимикатах в свежей зелени, а также витамина D от солнца — а все эти компоненты в прошлом сложно было получить в зимнее время из-за недостатка продуктов и солнечного света — вирусные эпидемии были обычными.

Связь между голодом и эпидемией отмечалась на протяжении всей человеческой истории. И, несмотря на то что у нас есть новые научные данные, указывающие на впечатляющую защиту организма от болезней сердца, инсультов, слабоумия, рака и, конечно, серьезных инфекций, мы по-прежнему сидим на диете, гарантирующей дефицит питательных веществ и приводящей к трагическим последствиям для здоровья.

Пришло время выкинуть все эти курицы и пасты «с низким содержанием жира» вместе с чизбургерами и колой. Пора вынуть голову из пачки картошки фри и начать менять свои представления о том, что мы едим и как это влияет на наше здоровье. Возникает возможность перехода от полноценного питания к супериммунитету; привилегия, которой следует пользоваться, применять и распространять. Наука показывает нам, какую защиту могут обеспечить стимулирующие иммунитет компоненты, содержащиеся в овощах семейства крестоцветных, сырых овощах, бобовых, фруктах, орехах и семенах. У всех нас есть удивительный потенциал для долгой здоровой жизни под защитой супериммунитета. Эпидемиологические исследования и клинический опыт убедительно доказали то, что больше это нельзя игнорировать. Это не альтернативная медицина, это медицина прогрессивная.

Глава 2

БЕССИЛИЕ СОВРЕМЕННЫХ ЛЕКАРСТВЕННЫХ СРЕДСТВ

У нас с мужем трое детей, все они с рождения питаются согласно рекомендациям доктора Фурмана. Ни у кого из них никогда не было ни одного серьезного заболевания. Те редкие случаи, когда у них поднимается температура (у моего шестилетнего ребенка за всю его жизнь такое было три раза, у четырехлетнего — только один раз, а шестнадцатимесячный еще ни разу не болел вообще), длятся с полудня до окончания дневного сна или проходят к следующему утру. Жаропонижающими мы не пользуемся. Против гриппа не прививаемся. Еще ни разу у моих детей гриппа не было. Когда их друзья и родственники больны и кашляют, наши дети простуде не поддаются. Заболевание, которое у других детей может продолжаться неделями (и дети золовки, и дети моей сестры часто болеют по нескольку дней или недель), наших детей обходит стороной.

Диана Риччи

В Средневековье смертность в Европе была очень высокой. Это было следствием как антисанитарии, так и недостаточного питания населения, которое по темпам развития обгоняло сельское хозяйство. Дело усугублялось частыми войнами и эксплуатацией населения жестокими правителями. Жизнь для обычного человека в те годы была трудной и зачастую короткой.

Однако были на земле во все времена и местности, где относительно здоровая диета и мирная среда способствовали продолжительной и здоровой жизни. К примеру, средняя продолжительность жизни жителей Хунзы в Гималаях, коренных жителей Перу в Андах и обитателей Окинавы на севере Японии намного превышает среднестатистическую в современном мире.

Основными причинами преждевременных смертей в прежние времена были жестокость и инфекция. Инфекционные заболевания за последние несколько столетий уменьшились в основном благодаря современным водоснабжению и канализации, доступности чистой воды. Кардинальный сдвиг в распространении большинства инфекционных заболеваний произошел с повышением качества санитарии в городах и стандартизации ее по всему современному миру. Такое изменение ситуации из-за развития трубопроводов (канализации), а не из-за развития медицины является основным фактором, оказавшим влияние на общее увеличение продолжительности жизни, о которой заявляется в нынешнее время. Однако остается неочевидным, живут ли сейчас взрослые на самом деле дольше, чем в Средние века. Разумеется, средняя продолжительность жизни взрослого возросла в основном потому, что меньше младенцев и маленьких детей умирают от инфекций и меньше женщин погибают в родах. Тем не менее продолжительность жизни взрослых мужчин (как не связанная с родами) повысилась несущественно, поскольку в последующем снижение смертности от инфекционных заболеваний отлично скомпенсировано ростом хронических заболеваний, обусловленных невежеством в питании и излишествами диеты. С тех пор как бакалея, фастфуд и продукция коммерческого массового животноводства стала нормой рациона, заболевания сердца, инсульты и рак заняли ту нишу, которая высвободилась после возникновения эффективных средств борьбы с инфекциями.

На самом деле, чтобы оценить распространенный аргумент о большей продолжительности жизни в наше время по сравнению с предыдущими периодами истории, примем во внимание, что у нас есть достоверные данные о жизни более чем 150 мужчин — художников эпохи Возрождения, живших в XIV в. Их продолжительность жизни в среднем превышает таковую для современных американцев. Развитию медицины и фармакологии широко приписывается современный прогресс в области здоровья и спасения жизни. Но на самом деле медпомощь оказывает незначительный эффект на качество или даже на среднюю продолжительность жизни в современном обществе по всему миру.

Доступность медицинской помощи и большое количество денег, выделяемых на здравоохранение, связывается с уменьшением ожидаемой продолжительности жизни, а не с ростом. Важна экстренная медицинская помощь, но в современном мире осложнения от травм, несчастных случаев и инфекций больше не являются основными причинами смертности. В первой тройке сейчас — заболевания сердца, инсульты и рак.

Медикаментозное лечение предотвратимых старческих заболеваний, возникших в результате того, что на протяжении долгих лет человек отказывал себе в правильном питании и самоуничтожал себя, никогда не будет эффективным решением.

Большинство из того, что предпринимается докторами для лечения сегодняшних болезней, лишь в очень малой степени направлено на продление человеческой жизни, а в большинстве случаев и вовсе бесполезно. Бесполезно потому, что лекарства, предписанные врачами, подсознательно побуждают человека продолжать вести нездоровый образ жизни и есть пищу, ведущую к разрушению организма. Они также дают пациентам «разрешение» продолжать следовать дурным привычкам, поскольку маскируют симптомы болезни. Симптомы — это не патология (и не случившееся повреждение), но лишь признак того, что патология развилась. Лечение симптомов не останавливает развитие патологии, которая продолжает ухудшаться. Это сродни тому, как если бы, увидев сигнал о необходимости замены масла на приборной панели своего автомобиля, вы прибыли бы в автомастерскую, а автомеханик просто перерезал бы проводок, подающий электричество на эту лампочку. Если бы лекарства не были так доступны, врачи и специалисты здравоохранения смогли бы внедрить более эффективные модификации образа жизни, и с большей вероятностью они были бы восприняты пациентами и популяцией в целом.

Рассматривая риск употребления любого лекарства или медицинского вмешательства, мы должны учесть преимущества, к которым бы привели изменения в образе жизни, — например, отказ от употребления соли, занятия физкультурой, изменения в рационе, уменьшение веса. Это меры, не имеющие побочных эффектов и ведущие к устранению причины заболевания, а не только его симптомов.

ЛЕКАРСТВА В СТРАНЕ КОНФЕТ

Джон Абрамсон, кандидат медицинских наук, клинический профессор в Гарварде, автор книги «Overdosed America»[1] объясняет, что любое медицинское вмешательство мы должны рассматривать в контексте, поскольку информация, которую получают врачи о медицинских вмешательствах, существенным образом искажается в сторону необходимости вмешательств и лечения. Исследования спонсируются, и результаты интерпретируются фармацевтическими компаниями или как минимум оказываются под влиянием спонсоров. То, что сегодня публикуется в наипрестижнейших медицинских журналах, больше является не точной наукой, а, по существу, рекламой лекарственных средств. Информация, которая доводится и преподается профессионалам от медицины, сформирована коммерческой ценностью для производителей лекарств, чьей фундаментальной задачей является увеличение прибыли компании.

Современное здравоохранение развивается как отдел дистрибьюции лекарств фарминдустрии, а не как область деятельности, направленная на улучшение жизни человека. Истинное здравоохранение, целью которого является максимальное улучшение существования пациента, было бы сосредоточено вокруг устранения препятствий к улучшению здоровья, пропаганды полезного образа жизни — занятий физкультурой, усовершенствования диеты, отказа от курения, а также защиты от химикатов, ядов и других известных причин возникновения заболеваний. А вместо этого основным вмешательством для устранения любой болезни, вызванной несбалансированным питанием, является назначение лекарств, каждое из которых обладает определенной токсичностью.

---

[1] «Америка в передозе», на русском языке не выходила.

Для примера рассмотрим эффективность ряда наиболее популярных рецептурных препаратов, назначаемых для снижения артериального давления или для снижения уровня сахара у диабетиков. Недавнее исследование более чем 90 тысяч диабетиков 2-го типа позволило сравнить воздействие двух наиболее популярных препаратов — метформина и фонилмочевины на сердечно-сосудистую систему человека. Подобно предыдущим исследованиям, ученые обнаружили повышенную вероятность смерти в среднем на 40% у пациентов, получающих сульфонилмочевину, а также примерно на 25% повышение риска смерти от сердечной недостаточности.

Проще говоря, снижение уровня глюкозы в крови медикаментозными средствами не устраняет причину заболевания диабетом 2-го типа — отсутствие физической активности и избыточный вес из-за обилия богатой калориями, но бедной питательными веществами диеты.

> Избыточный жир тела блокирует функционирование инсулина и стимулирует поджелудочную железу производить инсулин в избыточных количествах. С течением времени перегруженная поджелудочная «выдыхается».

Поступление лекарства с целью простимулировать уже загнанную поджелудочную железу работать еще больше приводит только к тому, что продуцирующие инсулин клетки гибнут быстрее. Если вы все еще придерживаетесь той же самой болезнетворной диеты, вероятно, вы еще больше наберете вес, что будет сопровождаться большим количеством различных сердечно-сосудистых заболеваний и в конце концов приведет к зависимости от инсулина.

Лекарства стали общепринятым средством лечения диабета — хотя они сами зачастую способствуют набору веса, повышению аппетита и у некоторых только усугубляют болезнь. Эти лекарства также существенно повышают количество случаев рака. В дополнение ко всем этим побочным эффектам контроль глюкозы крови при помощи лекарств, как было показано, не снижает риск смерти, а, наоборот, увеличивает. Исследование ACCORD[1] проводилось с целью определить, уменьшает ли понижение уровня глюкозы с помощью медикаментов риск развития сердечно-сосудистых заболеваний. Исследование было прекращено, когда результаты показали, что большее количество медикаментов для более жесткого контроля уровня глюкозы на самом деле повышало риск смерти от всех причин и в том числе от середчно-сосудистых заболеваний. Если вы не обращаетесь к истинной причине, болезнетворной диете, употребление все большего количества лекарств результата не даст.

Вопреки общественному мнению снижение артериального давления при помощи медикаментов имеет аналогичные негативные последствия. Например, блокаторы рецептеров ангиотензина, применяемые для снижения высокого артериального давления и сердечной недостаточности, являющиеся в действительности одними из самых безопасных лекарств для снижения давления. Их работа основана на блокировке гормональной системы, которая регулирует тонус сосудов и водно-солевой баланс. Ангиотензин может влиять на выживание клеток и ангиогенез (образование новых кровяных сосудов), два важных фактора в росте опухолей. Вопрос стоит в том, может ли это лекарство способствовать росту кровяных сосудов, которые могут приводить к росту опухолей и раку.

Для ответа на этот вопрос ученые провели метаанализ нескольких исследований. Было определено, что при приеме блокаторов ангиотензин-рецепторов значительно возрастает риск впервые диагностированного рака любой природы (на 8%), и на 25% возрастает риск рака легких. Исследование обнаружило возрастание риска внезапной смерти от остановки сердца, смерти от инфаркта и инсульта у лиц, принимавших блокаторы ангиотензин-рецепторов по сравнению с контрольной группой, принимавшей плацебо, в двух исследованиях, и эти данные все

[1] ACCORD – Action to Control Cardiovascular Risk in Diabetes — Меры по контролю риска развития сердечно-сосудистых заболеваний при диабете.

еще анализируются Управлением по контролю за пищевыми продуктами и лекарственными препаратами США.

Рассмотрим другой класс лекарств от давления, бета-блокаторы. В обширном исследовании POISE, которое проводилось в 23 странах, все 8351 исследуемый пациент случайным образом были распределены по группам, одна из которых принимала метопролол (распространенный бета-блокатор), а другая — плацебо. Спустя 30 дней общая смертность была выше в группе, употреблявшей бета-блокатор, на 0,8% (3,1% против 2,3%), и в этой группе почти вдвое возросло количество случаев инсульта. Дополнительный анализ не определил какой-либо подгруппы, которая бы получила пользу от метопролола. Искусственное снижение давления несет явные риски; лекарство приносит больше вреда, чем пользы.

В действительности нет данных, которые бы подтверждали, что эти лекарства предотвращают инфаркты у лиц со слегка повышенным давлением. Последнее рассмотрение доказательств было представлено 14 августа 2007 г. в «*Journal of the American College of Cardiology*». Несмотря на три десятилетия применения бета-блокаторов для управления гипертензией, авторы передовой статьи заметили, что нет исследований, показывающих, что терапия бета-блокаторами снижает риск смерти у гипертоников, даже по сравнению с плацебо-группами. Наконец, анализ, проведенный Кохрановским сотрудничеством[1], выявил то же самое — назначение бета-блокаторов для снижения давления не продлевает жизнь.

Свободное применение медикаментов в попытке нивелировать эффекты нашего пагубного образа питания несет свои особые риски. Медикаменты для снижения давления вызывают усталость, тошноту и потерю координации. Лекарства могут привести к падениям у пожилых пациентов, что повышает риск перелома тазобедренных суставов; также оно может привести к избыточному снижению диастолического давления (поскольку снижает систолическое), что повышает вероятность аритмий, ведущих к смерти. Избыточное применение понижающих давление препаратов,

---

[1] Кохрановское сотрудничество (англ. Cochrane Collaboration) — международная некоммерческая организация, изучающая эффективность медицинских средств и методик путем проведения рандомизированных контролируемых исследований.

которые чрезмерно снижают диастолическое давление, как было показано, приводит к росту случаев фибрилляции предсердий, другого серьезного нарушения сердечного ритма.

У пожилых высокое давление крови не является фактором риска для увеличения смертности. Артериальное давление ниже 140/70 мм рт.ст. у пожилых связывается с повышенной смертностью, и это особенно важно, когда лекарство понижает диастолическое давление слишком сильно.

Систолическое — это первое, «верхнее», число, представляет силу, с которой сердце качает кровь, преодолевая сопротивление стенок кровеносных сосудов. Диастолическое — второе, «нижнее», число, представляет давление стенок сосудов в момент расслабления и фазы наполнения сердечного ритма. Если кровеносные сосуды стали жесткими из-за болезни и старения, систолическое давление поднимается, поскольку сосуды не расширяются в процессе систолы так, как должны, а диастолическое падает, поскольку стенки кровеносных сосудов больше не сжимаются так, как должны.

Поскольку заполнение коронарной артерии происходит в процессе диастолы, люди с ишемической болезнью сердца находятся под повышенным риском ишемии (недостаточного тока крови и насыщения кислородом), когда диастолическое давление падает ниже определенного уровня. Так происходит потому, что при избыточно пониженном диастолическом давлении сердце не пополняется кровью нужным образом в процессе диастолы. Когда международные исследователи изучили 22 тысячи пациентов в 14 странах, они обнаружили катастрофический рост числа инфарктов у лиц, у которых медикаменты обрушивали диастолическое давление ниже 84. У лиц с диастолическим давлением ниже 60 риск инфаркта утраивался по сравнению с теми, у кого диастолическое давление было выше 80.

Не суть важно, какие лекарства — от простуды, антибиотики, обезболивающие, иммуномодуляторы, лекарства от давления или от диабета, ложным является убеждение, что все эти спасающие жизнь препараты еще и как следует продляют ее. Вообще говоря, исследования медпрепаратов сконструированы так, чтобы скрыть потенциальные побочные эффекты, и продолжительные отрицательные последствия приема препаратов чаще всего скрыты или неизвестны. Побочные эффекты и риск приема нескольких препаратов одновременно — это очень серьезный вопрос для здоровья. Опасности обоснованы, плохо исследованы, и их сложно предсказать. В последнее время больше и больше посетителей пунктов первой помощи и стационаров — жертвы медпрепаратов. Для примера рассмотрим следующий неполный список:

Класс препаратов	Посетили неотложку	Госпитализированы
Антибиотики	95 000	131 300
Наркотики	44 300	121 200
Антикоагулянты	29 200	218 800
Стероиды	13 300	283 700

Наши тела очень жизнеспособны и обладают свойствами самовосстановления, но лекарства не спасут нас от биологических законов причины и следствия. Когда мы разрушаем себя, подвергаясь воздействию ядовитой болезнетворной диеты, мы развиваем в себе болезни.

Лекарства не могут залечить клеточные дефекты, которые развились в ответ на ненадлежащее питание в течение всей жизни.

Главное здесь в том, что нам приходится отвечать за свое собственное здоровье и бдительно избегать причину болезни. Нам следует питаться научно обоснованным образом и избавиться от мысли о том, что доктора и фармацевтические компании — наши спасители, ответственные за то, чтобы дозволить нам жить более долгой и продуктивной жизнью.

А ВОТ КОМУ ПРИВИВКА ОТ ГРИППА

Любое медицинское вмешательство имеет свои преимущества и недостатки. Необходимо взвесить возможные преимущества относительно потенциальных рисков. Часто долговременный риск употребления лекарств не четко выражен, а по большей части недостаточно исследован. Предполагаемая польза почти всегда преувеличена фармацевтическими компаниями и специалистами в их сфере деятельности в медицине и правительстве.

Вакцины от гриппа также обладают преимуществами и недостатками. Исследователи и врачи изучают эти вопросы и пытаются убедиться, что преимущества перевешивают недостатки, но **ни один ученый, изучающий этот вопрос, не думает, что вакцинация не несет рисков**.

Поэтому, чтобы рассмотреть вопрос, является ли прививка против гриппа здравым и взвешенным решением, нам придется разобраться, насколько эффективна эта вакцинация и сравнить ее пользу с известными и возможными неизвестными рисками. Знакомясь с этой информацией, имейте в виду, что опасность гриппа выше для ослабленных и плохо питающихся лиц. Здоровому человеку опасаться обычного гриппа практически незачем.

Факты о гриппе

Нам говорят, что около 10% жителей США болеют гриппом каждый год. Около 100 тысяч американцев госпитализируются, а 36 тысяч ежегодно умирают от осложнений гриппа. Самое губительное осложнение гриппа — бактериальная пневмония, которая может развиться у пожилых или у лиц с подавленным иммунитетом.

Симптомы гриппа включают в себя:

♦ Сильный жар
♦ Головную боль
♦ Чрезвычайную усталость
♦ Боли в мышцах
♦ Кашель, язвы во рту, заложенный нос
♦ Симптомы, задействующие желудочно-кишечный тракт — тошнота, рвота, диарея; чаще распространены у детей
♦ Сильные головные боли и боли в мышцах. Обычно это и есть тот признак, по которому грипп отличают от других простудных вирусных заболеваний

После того как человек подцепил грипп, он заразен еще около недели. Хорошая новость заключается в том, что, если вы в целом здоровы и едите полезную пищу, получая существенный процент калорий от фруктов, овощей, семян и орехов, паниковать вам не следует. Грипп здоровым людям не опасен. Даже более опасные и болезнетворные штаммы гриппа — к примеру, птичий грипп — имеют немного шансов против по-настоящему здоровой иммунной системы.

40% американцев умирают от инфарктов и инсультов, но практически все эти смерти предотвратимы при хорошем питании. Около 35% всех американцев умирают от рака, но подавляющее большинство этих смертей — результат плохого питания. В самом деле основной посыл этой книги в том, что главная причина эпидемии рака не в генетике, а по большей части в дисфункциональной иммунной системе. Когда мы едим бедную питательными веществами пищу, болезни расцветают. При достаточности питательных веществ наш организм приобретает поразительные способности сопротивляться заболеваниям. И грипп не исключение.

Вопрос не в том, опасен ли грипп и может ли он привести в редких случаях к смерти; нам это известно. Вопрос в том, насколько уменьшаются заболеваемость и смертность в результате вакцинации. Часто вакцина от гриппа упоминается как средство уменьшения заболеваемости и смертности в связи с этой инфекцией, и Центр по профилактике и контролю заболеваемости

США рекомендует сейчас универсальную вакцинацию от гриппа для всех лиц в возрасте от 6 месяцев и старше. Но насколько вакцинация эффективна?

Впервые эти рекомендации теперь предназначены и для взрослых, которые не контактировали с лицами с высоким риском осложнений от гриппа. Рекомендации для прививки взрослых здоровых граждан основаны на следующих предположениях:

♦ Вакцина уменьшит количество заболеваний гриппом
♦ Вакцина уменьшит осложнения от гриппа
♦ Вакцина уменьшит распространение гриппа
♦ Вакцина выполнит эти задачи без вреда

Грипп и гриппоподобные заболевания вызываются более чем 200 видами вирусов; среди симптомов — жар, кашель, головная боль, мышечная боль, насморк. Даже если события идут по наилучшему сценарию, в котором правильно угаданы самые распространенные штаммы гриппа А и В и учтены в составе вакцины на следующий сезон, это покрывает едва ли десятую часть циркулирующих вирусов, которые вызывают подобные заболевания. В реальном мире вирусы штамма, которые выбраны для вакцины, не обязательно точно совпадают с теми, которые распространяются, и достигается лишь частичное соответствие.

Затем, может ли вакцина предотвратить возникновение осложнений гриппа, которые весьма редки среди взрослых, не страдающих хроническими заболеваниями? Лучше всего мы можем ответить на этот вопрос, рассмотрев текущий анализ многоуважаемого Кохрановского центрального регистра контролируемых исследований, который изучает эти вопросы. Они определили слабые свидетельства эффективности вакцинации.

Эти исследователи проверяли медицинские базы данных с июня 2010 г. с целью анализа рандомизированных контролируемых исследований вакцины против гриппа. Нерандомизированные исследования включались в анализ, если предоставляли надежные данные о вакцине. Основной результат исследования показывал число заражений гриппом и силу симптомов инфекции. Исследователи также отследили долю осложнений от гриппа и число потерянных трудодней. И, наконец, оценивался риск негативных событий, связанных с вакцинацией против гриппа. Анализировались 50 исследований с общим числом участников свыше 70 тысяч. С учетом того как сильно в наши дни власти продвигают вакцину от гриппа, было удивительно ознакомиться с результатами этого независимого исследования. Они показали, что применение вакцины не влияет на число госпитализированных лиц или число потерянных трудодней. В общем-то, ни одна из всего разнообразия вакцин от гриппа не оказала существенного эффекта в уменьшении риска осложнений от гриппа среди здоровых взрослых.

Исследователи также рассматривали риск серьезных негативных последствий, связанных с применением вакцины против гриппа. Исследования определили, что вакцина может способствовать возникновению дополнительных случаев синдрома Гийена — Барре (дополнительные 1,6 на каждый 1 млн привитых). Синдром Гийена — Барре — это расстройство, поражающее нервную систему, которое начинается как потеря чувствительности и затем прогрессирует до мышечной слабости и паралича, включая невозможность дышать.

В целом в результате проведенного анализа обнаружилось, что польза всеобщей вакцинации от гриппа преувеличена, и к рекомендациям относительно здоровых взрослых Центра по профилактике и контролю заболеваемости возникли критические замечания.

Исследование Кохрановского сотрудничества выявило, что около половины рецензированных работ спонсировались производителями вакцин, а в таких случаях результаты очевидны, поскольку такие исследования рассматривают только условия идеального совпадения штаммов прививки и вируса и также ограничивают отслеживание негативных воздействий вакцинации. Участники Кохрановского сотрудничества заметили широкое распространение манипуляций выводами в таких спонсированных производителями вакцин исследованиях. Но даже смотря на такие искаженные исследования, где вакцина хорошо соответствует циркулирующему вирусу, результаты вакцинации против гриппа были далеки от полного предотвращения инфицирования, и вакцина не влияла существенно ни на число пропущенных трудодней, ни на предотвращение осложнений от гриппа.

После анализа данных, полученных в результате всех (всего 51) исследований эффективности и безопасности вакцины для детей специалисты Кохрановского сотрудничества были также шокированы политикой нашего государства. Для детей в возрасте младше двух лет эффективность вакцинации оказалась на уровне плацебо. Обнаружилось также, что невозможно проанализировать безопасность вакцинации на основе открытых исследований из-за недостатка данных. Более тревожным оказалось их заключение о том, что данные по безопасности ненадежны из-за обширных свидетельств искажения этих исследований. Специалисты Кохрановского сотрудничества вновь критически отнеслись к решениям Центра по профилактике и контролю заболеваемости США, утверждая: «Если иммунизация детей рекомендуется как политика здравоохранения, срочно необходимо проведение широкомасштабных исследований, квалифицирующих важные следствия и прямо сравнивающих типы вакцин».

С учетом того, как мощно вакцина против гриппа пропагандируется правительством и специалистами здравоохранения, вместо предельной прибыли позиция правительства лишь подогревает недоверие ко всему медицинскому/фармацевтическому/правительственному комплексу здравоохранения, который пованивает сговорами и конфликтами интересов. Это отражение проблем финансирования здравоохранения сегодня. Правительственные рекомендации и специалисты здравоохранения, формирующие наши персональные решения в области медицины, оказываются под сильным воздействием коммерческих интересов, принадлежащих мощным лоббистам и промышленным экспертам-на-зарплате.

Даже среди пожилых, у которых риск смерти от инфекционных заболеваний выше, исследования вакцинации против гриппа все же неблагоприятны. Анализ привитых от гриппа лиц в возрасте от 65 лет и старше также показывает, что эффективность вакцины не внушает доверия. Хотя вакцинация, похоже, уменьшает симптомы гриппа, низкое качество собранных исследований не дает возможности сделать сколько-нибудь верное заключение относительно эффективности вакцины в предупреждении осложнений, даже для популяций высокого риска. Ученые из Кохрановского центрального регистра контролируемых исследований подвергли критике усилия здравоохранения США по пропаганде использования вакцины. Данная статья утверждает: «Авторы Центра по профилактике и контролю заболеваемости США, очевидно, не соизмеряли интерпретации по качеству свидетельств, но цитировали все, что поддерживало их теории». И неудивительно, поскольку все 15 членов Совета по иммунизации Центра по профилактике и контролю заболеваемости связаны финансовыми узами с производителями вакцин. Центр по профилактике и контролю заболеваемости США дарует им преференции — отступление от нормативов при конфликте интересов. Этот профессиональный орган влияет на экспертизу иммунизации и является обоснованием для того, чтобы оправдать выданные преференции.

Так если оно не слишком помогает, то, может, и вредит несильно?

Если вы читали о вакцине против гриппа описание, которое предоставляют ее производители, вы знаете, что она содержит следы формальдегида и 25 мкг тимерсола (ртути) на дозу в качестве консерванта. Инъекция даже такого небольшого количества ртути год за годом может у отдельных лиц спровоцировать повышение риска нейротоксичности (повреждения мозга) в более поздние периоды жизни. Реальное увеличение риска сложно проверить. Риски накапливаются в течение жизни, и молодые развивающиеся организмы более чувствительны к разрушающим эффектам ядовитых веществ. Американская академия педиатрии и Министерство здравоохранения США выпустили совместное заявление, призывающее избавиться от ртути во всех вакцинах. Хронические поступления ртути в организм в малых дозах могут вызвать тонкие неврологические отклонения, которые обнаружатся в последующие периоды жизни. С учетом всех вакцин, уже введенных детям, добавьте к ним вакцину от гриппа и тот факт, что прививают ею ежегодно, — это то, что в научной литературе вызывает серьезные вопросы.

Говоря о ежегодной вакцинации против гриппа всех и каждого, начиная с младенчества, следует более внимательно оценить отдаленные последствия этого. Канцерогенный потенциал самой противогриппозной вакцины не оценивался, а опыты по репродукции на животных не проводились. Отрицательные реакции на вакцину, согласно данным производителя, включают в себя: артралгии (боль в мышцах и суставах), лимфаденопатию (увеличивание лимфоузлов), зуд, васкулит (воспаление кровеносных сосудов) и другие признаки токсичности. Аллергические реакции, крапивница, анафилаксис, неврологические расстройства, такие как невриты, энцефалит, неврит зрительного нерва, и, помимо синдрома Гийена — Барре, нарушения миелинизации (например, рассеянный склероз) также временно связывались с вакциной против гриппа. С течением времени обычно выявляется лишь больше побочных эффектов. Совсем недавно вакцинация инициировала синдром Шенлейна — Геноха — редкое, но серьезное заболевание, которое может привести даже к почечной недостаточности.

Разумеется, каждый человек сам должен определять соотношение пользы и вреда для себя и своих детей, поскольку серьезные осложнения и даже смерть от простой вирусной инфекции, такой как грипп, не исключается.

Даже при ограниченной эффективности польза и в группах повышенного риска невелика. Поскольку грипп более опасен лицам с подавленным иммунитетом (больным СПИДом, раком или пожилым), такое небольшое уменьшение вероятности заболеть гриппом может быть той пользой, которая перевесит риски.

Медики подтверждают, что определенные люди находятся в группе повышенного риска вреда и смерти от гриппа. Лица с ослабленной иммунной системой попадают в эту группу, если подхватят инфекцию любого типа. В эту группу попадают:

♦ Престарелые, старше 75 лет
♦ Лица с такими хроническими состояниями организма, как диабет или трансплантированные органы
♦ Лица, зависимые от стероидов или других иммуносупрессивных препаратов по причине аутоиммунных заболеваний
♦ Раковые больные
♦ Младенцы и дети до 2 лет, не находившиеся на грудном вскармливании
♦ Курильщики табака или те, кто потребляет преимущественно джанкфуд и высококалорийный, с низким содержанием питательных веществ фастфуд или полуфабрикаты

В этих группах небольшое снижение вирулентности гриппа хотя бы по ограниченному количеству штаммов может быть полезным. Это не относится к категориям здоровых детей или взрослых с нормальной иммунной функцией, особенно если их еда богата питательными веществами и у них адекватные запасы необходимых веществ, включая витамин D.

Своих детей я предпочитаю кормить так, чтобы защитить их будущее от всех заболеваний и позволить их здоровой иммунной системе разбираться с гриппом, если уж придется. Все четверо моих детей, а им сейчас от 10 до 24 лет, почти никогда не болели дольше нескольких дней за всю их жизнь, у них никогда не было отитов и даже необходимости принимать антибиотики, и я не помню, чтобы кто-либо из них вообще болел гриппом. Может быть, в правильном питании есть нечто, что этому способствует.

Мы должны как следует бояться гриппа. Может, наш страх вынудит нас принять решение и начать есть в большем количестве натуральную пищу, богатую питательными веществами. Сейчас мы гриппа не опасаемся; а вот если бы опасались, страх этот мог бы спасти миллионы жизней, поскольку та самая диета, которая защищает от гриппа, также защищает и от многих видов рака, сердечно-сосудистых заболеваний, диабета, ожирения, астмы и других болезней.

О лекарствах против гриппа

Когда у вас грипп, есть ряд препаратов, которые помогают вам преодолеть его быстрее. В США, к примеру, наличествуют три антивирусных средства против гриппа: амантадин, ремантадин и озельтамивир. Средства эти лишь отчасти эффективны, а в случае, если их начали принимать спустя более чем двое суток от момента возникновения симптомов, и вообще бесполезны. Эти лекарства отпускаются по рецепту и имеют серьезные возможные побочные действия. Помимо обычных тошноты, рвоты, головокружения и бессонницы, редкими, но серьезными негативными реакциями могут быть депрессия, суицид и потенциально смертельная реакция под названием «злокачественный нейролептический синдром», которая включает в себя высокую температуру, мышечную ригидность и изменения психического состояния.

Польза от применения этих лекарств по сравнению с потенциальным вредом невелика, особенно потому, что сложно отличить грипп от других похожих вирусных заболеваний, для лечения которых эти медпрепараты не предназначены.

Большинство рецептов, вероятно, выписывается без четкого документирования вируса гриппа, который повинен в заболевании и, конечно, не диагностирован в том ограниченном промежутке времени, когда лекарство эффективно. Так что основной недостаток таких препаратов в том, что для диагностирования гриппа требуется время, и к тому моменту, как заболевший попадет к доктору для точной диагностики, период времени, в котором лекарство эффективно, закончится. Из сотен тысяч прописанных доз больше 90% будут приняты после того, когда закончится период, в который они способны хоть как-то помочь. Люди увеличивают риск вызванных медикаментами побочных эффектов без какой бы то ни было потенциальной пользы.

Низкое соотношение «польза—вред» могло бы поставить под сомнение возможность рекомендовать эти лекарства как общеупотребимые средства от гриппа. Но в случае вспышки заболеваний в лечебницах или стационарах, где люди с высокой степенью риска заболеть находятся в контакте друг с другом и где ранняя диагностика гриппа подтверждается, эти средства определенно могут быть полезными.

ВАША ЗАЩИТА – ХОРОШАЯ ГИГИЕНА

Кажется, почти каждый год сезон гриппа несет с собой беспокойство и страх, особенно среди родителей маленьких детей. Сквозь туман истерии, насаждаемой в эти периоды СМИ, давайте не будем терять самообладания и не станем скоропалительно принимать решения об употреблении медикаментов, которые могут принести больше вреда, чем пользы. Важно то, что большинство людей могут и должны предпринять шаги по снижению вероятности подхватить гриппоподобные инфекции. Вирусы распространяются преимущественно через прикосновения рук к лицу. Также вирусы могут распространяться, когда больной кашляет или чихает, распространяя вирусы, так что другой может вдохнуть их. Человек может быть заразным за день до того, как у него появятся симптомы, и от 7 до 10 дней после появления первых симптомов. Отсюда следуют несколько шагов, которые минимизируют вероятность подхватить грипп.

♦ *Передача гриппа и других вирусов через поверхности более распространена, чем при чихании или кашле.* Множество наиболее интересующих нас вирусов могут распространяться через общедоступные поверхности — дверные ручки, поручни и т.д. или при прикосновении людей друг к другу, например при рукопожатии. Поэтому избегайте прикасаться к своему лицу, находясь в общественных местах и сразу после того, пока не вымоете руки как следует. Если пользуетесь общественным душем, то воспользуйтесь бумажным полотенцем, чтобы открывать краны с водой и чтобы затем открыть дверь, сохранив руки чистыми.

- *Дошкольников не пускайте в детский сад с большим количеством других детей с насморком.* Последнее место, куда вам стоит стремиться с больным ребенком, — это приемный покой больницы или кабинет доктора, поскольку эти места определенно увеличат ваши шансы заболеть гриппом или другими инфекционными заболеваниями.

- *Если подхватили грипп, оставайтесь дома.* Пейте воду понемногу весь день, а не выпивайте много воды сразу. Ешьте меньше — если голодны, ешьте легкую пищу, сочные фрукты или салаты. В течение болезни важно не перетруждать свой организм расщеплением тяжелой пищи. Анорексия инфицированного, потеря аппетита — это один из способов, которыми обладает тело для активации более мощного иммунного отклика.

КОГДА ЖЕ ОБРАЩАТЬСЯ К ДОКТОРУ?

Я не рекомендую посещать терапевта или обращаться за мед-помощью в случае симптомов типичного гриппа или вирусной простуды — насморка, жара и болей в теле, поскольку мне не кажется, что лечение медикаментами будет полезным. Одну вещь важно определить — при серьезном гриппе основная причина госпитализации, тяжелого заболевания и даже смерти — это осложнения пневмонии.

> Следите за внезапным ухудшением общего состояния, особенно если среди симптомов появилось затрудненное дыхание.

Симптомы, при возникновении которых необходима медицинская консультация, это:

- Учащенное дыхание
- Дыхание с хрипами и свистом
- Затрудненное дыхание (у детей задействованы мышцы грудной клетки)

♦ Боль в животе (более распространено у детей)

♦ Изменения в поведении или психическом состоянии, например дезориентация или потеря сознания

♦ Постоянная диарея или рвота (более распространена у детей), особенно если затруднительно удерживать достаточное количество жидкости в организме

♦ Постоянная температура выше 39 °C дольше трех дней

ИЗБЕГАЙТЕ ЛЕКАРСТВ, ЕСЛИ ЭТО ВОЗМОЖНО

Я помню первый курс фармакологии в мединституте, когда профессор фармакологии сказал нам: «Все лекарства ядовиты», и что мы должны учить своих пациентов избегать их. Здоровье не построить на глотании лекарственных веществ. Даже натуральные растительные продукты, обладающие фармакологическими свойствами, оказывают действие благодаря своим ядовитым качествам, а не питательному содержимому.

> Выбирая здоровый образ жизни, вы ограничиваете свою подверженность всем лекарствам и препаратам, которые могут впоследствии отрицательно сказаться на вашем здоровье.

Важно понять, что выбор, который вы делаете сегодня, либо защитит вас, либо накажет 30–60 лет спустя. Здоровье — сложная система. Не все факторы среды, влияющие на возникновение рака, пока изучены. Однако в последние годы мы многое узнали о влиянии на рак и защитных силах иммунной системы, не страдающей недостатком питательных веществ. Сейчас у нас есть знания, которые позволяют нам жить намного лучше, чем предкам, с огромным потенциалом увеличить ожидаемую продолжительность жизни.

Мое мнение, основанное на исследованиях и наблюдении за пациентами на протяжении последних нескольких десятилетий, — большинство из нас могли бы продлить срок жизни до 95 лет. Но мы не собираемся выигрывать войну с раком или другими угрожающими жизни заболеваниями при росте медицинской терапии и количества денег, выделяемых на здравоохранение и лекарства.

Принимая образ жизни и рацион питания, которые защищают здоровье, и проводя изменения с целью улучшения нашего здоровья и снижения рисков тяжелых заболеваний, мы можем пожать хороший урожай. Только серьезные усилия породят подлинные и положительные изменения. Это справедливо в жизни для чего угодно. Когда мы едим, чтобы развить супериммунитет, мы защищаем себя не только от заболеваний, но и от вредных побочных эффектов лекарственных средств.

> У вас может быть отличное здоровье, но его нельзя купить, его можно только заработать.

Глава 3

СУПЕРПРОДУКТЫ ДЛЯ СУПЕРИММУНИТЕТА

В мае 2003 г. мне был поставлен диагноз неходжкинской лимфомы[1] 4-й стадии. Врач в Слоан Кеттеринг обсуждал со мной возможные способы действия при лечении моего «хронического» и смертельного заболевания. На тот момент одним из вариантов было «ждать и наблюдать», поскольку непосредственная смертельная опасность мне не угрожала. Потом, как предполагалось, мне, возможно, понадобится принимать срочные меры, такие как химиотерапия, чтобы «управлять» заболеванием. В течение первых охваченных паникой дней моя сестра привела меня прямо к доктору Фурману. Я считаю, что уроки, которые мне преподал доктор, спустя эти прошедшие годы буквально спасли мне жизнь.

Первое, что сделал доктор Фурман, — объяснил мне, как токсины, которые имеют отношение к раку, как у меня, часто накапливаются в жировых тканях людей. Он объяснил мне, как важно было бы сбросить вес и вместе с ним множество ядов, которые, вероятно, были причиной дисфункции клеток.

Также он обучил меня тому, какие продукты лучше всего помогут моему организму бороться с заболеванием и как их готовить. Когда я впервые попробовала «смешанный салат», интерес к еде у меня вообще пропал. Но сейчас мне такая полезная еда нравится. Помимо того что доктор прописал мне такой новый способ питаться, он также рекомендовал некоторые добавки, которые бы наилучшим образом дополнили мой режим питания.

---

[1] Неходжкинская лимфома — это злокачественное онкологическое заболевание клеток лимфатической системы. При неходжкинской лимфоме клетки в лимфатической системе делятся и растут бесконтрольно, поражая клетки ткани, расположенные в различных органах, включая лимфатические узлы, селезенку, миндалины, вилочковую железу, костный мозг. Заболевание очень быстро распространяется по всему организму человека.

В первые три месяца питания ради жизни я сбросила около 16 кг. Уровень холестерина упал. Другие показатели крови были прекрасными и таковыми и остались. Визиты к онкологу приводили к выводу, что моя болезнь не развивается, что осталась изначальная опухоль в паху. После 2–2,5 лет разговоров о возможном применении курса общей химиотерапии опухоль растаяла и пока больше не вернулась. И, будем надеяться, не вернется.

Не думаю, что я была когда-либо энергичнее, чем сейчас, даже в молодости. И в свои 63 года я – ходячая реклама в поддержку прекрасного метода доктора Фурмана по борьбе с заболеваниями и достижению оптимального здоровья. Я все еще периодически проверяюсь у онколога, и результаты анализов отрадные. Тесты регулярно показывают, что биохимия у меня в норме и что опухолей не обнаруживается. Себя я считаю здоровой женщиной, наслаждаясь жизнью по полной. И, хотя я никому вреда не желаю, я не удивлюсь, если переживу тех онкологов, которых встретила (если, конечно, они не узнают секрет от меня и не начнут внимательно относиться к своему питанию)!

Айрин Забрански

Определенные растительные продукты содержат значительное количество веществ, которые стимулируют функционирование иммунной системы человека и защищают от острых и хронических заболеваний. В конечном итоге следует создать вкусные рецепты и меню на их основе, чтобы использовать эти суперпродукты. Однако понимание того, почему я включил, смешал и подобрал определенные продукты вместе, очень важно для вашего успеха в долгосрочной перспективе.

Только за последние 10 лет — спустя более чем 30 лет после того, как мы высадили первого человека на Луну, — ученые начали определять вещества в растениях, которые обладают мощным противораковым эффектом на людей.

Совсем недавно мощные противораковые и усиливающие иммунную систему эффекты зелени, грибов, лука, граната, ягод и семян были специально отмечены учеными. Вслед за этим начались исследования с участием человека. На сегодняшний день результаты каждого исследования показывают, что умеренное количество этих продуктов по отдельности уже дает существенную пользу. То есть дополнение чьего-то рациона грибами снижает показатели рака, дополнение чьего-то рациона луком снижает показатели рака, дополнение чьего-то рациона зелеными овощами снижает показатели рака, и дополнение чьего-то рациона черникой также снижает показатели рака.

> Но мой аргумент и рекомендации — не просто есть эти продукты, а есть их в больших количествах и одновременно. Неизбежным следствием такого изменения рациона с рядом усиливающих иммунитет и борющихся с раком продуктов станет супериммунитет.

Иммунитет, с которым вы будете стареть в уверенности, а не в страхе и с отличным здоровьем. Нам придется понять, что болезни и рак не являются неизбежным следствием старения и что мы можем их контролировать, а не заболевать.

Необходимо продолжать исследования потребности человека в сочетании суперпродуктов, и определенно на это требуется гораздо большее финансирование и поддержка. По мере нашего продвижения с дальнейшими исследованиями и документально подтвержденными преимуществами суперпродуктов мы не хотим прозевать лодку, которая вот уже сейчас отчаливает из доков как результат преобладания тех свидетельств, которые доступны сегодня. Можно не замечать очевидных доказательств справедливости этой теории и остаться у разбитого корыта, но цена высоковата, и вот поэтому, в частности, эта книга столь важна.

Мой опыт лечения более чем 10 тысяч пациентов за последние 20 лет путем использования богатой микронутриентами диеты демонстрирует чрезвычайный терапевтический потенциал для широкого ряда серьезных заболеваний. Я видел невероятный клинический отклик среди пациентов с самыми разными заболеваниями — от астмы и аллергий до заболеваний сердца и рака, и видел тысячи человек, которые улучшили и продлили свою жизнь. Я настоятельно рекомендую вам начать прямо сейчас, не дожидаясь начала трагедии со здоровьем, которую можно было бы предотвратить.

Следующий пример демонстрирует невероятные преимущества супериммунитета. Я **не** заявляю, что все или большинство случаев рака последних стадий могут быть обратимыми, однако у меня была счастливая возможность быть свидетелем потрясающего случая, который демонстрирует, что мощный суперпитательный рацион усиливает долгосрочную выживаемость.

Детская писательница Памела Суоллоу обратилась ко мне за помощью в 1997 г., когда узнала, что у нее рак яичника с метастазами, распространившимися в брюшную полость и в легкие. Из легких жидкость вывели, так что дышать она могла, и Пэм знала, что ей придется сделать все возможное, чтобы побороться с этим обычно смертельным заболеванием.

Статистика этого рака 4-й стадии показывала, что пятилетняя выживаемость наблюдается лишь у 10%, а десятилетняя — у еще меньшего количества заболевших. Причина в том, что рак яичников 4-й стадии сложно лечить хирургически, а доступная химиотерапия не способна истребить все имеющиеся раковые клетки. Несколько других врачей сказали Пэм, что единственный вариант в ее случае — химиотерапия и повторные операции. Пэм подумала, что подкормка и усиление ее иммунной системы будет необходима для ее исцеления, так что она искала дальше и попала ко мне.

После наших бесед о всех способах, которыми иммунная система вынуждена бороться с раком и атаковать отдельные раковые клетки по мере их повторного возникновения, у Пэм появилась надежда на выживание. Пэм лечилась химиотерапией, но когда в процессе лечения чувствовала себя плохо, она делала зеленые коктейли, наполненные микронутриентами. Они с мужем стали выращивать экологически чистые овощи, купили большой холодильник, так что могли хранить выращенное всю зиму, до следующего урожая. Получилось так, что Пэм победила статистику.

Сегодня Пэм по-прежнему следует протоколу поддержания иммунной системы, который я разработал для нее 15 лет назад, у нее не было рецидива, и она чувствует себя прекрасно. Она утверждает: «Подход доктора Фурмана настолько здравый и результативный, что я не могу себе представить иной образ жизни».

ПРОТИВОРАКОВОЕ РЕШЕНИЕ

Метилирование — это присоединение простой четырехатомной молекулы (один атом углерода и три — водорода известны как метиловая группа) к веществу. Изменение нашей ДНК путем добавления или удаления этих метиловых групп в определенных генах связывается с повышенным риском развития рака. Ученые, которые занимаются этиологией рака, заметили, что действие метилирования и деметилирования создает изменения в молекуле ДНК, и при развитии рака такие изменения происходят раньше этого и по всему организму. Когда ген метилирован или деметилирован, это меняет его действие, включая или выключая определенные части ДНК. Метилирование мешает нормальному контролю над делением клеток, что позволяет определенным клеткам бесконтрольно расти, а это и есть рак.

Например, вот интересное исследование, проведенное среди более чем 1000 курильщиков или бывших курильщиков. Они отхаркивали мокроту, из которой затем собирались клетки легких. После эти клетки анализировались на предмет метилирования восьми ключевых генов, связанных с риском развития рака. Исследователи подсчитывали клетки с сильным метилированием и использовали это как маркер риска развития рака. Затем ученые обратили внимание на диету участников исследования. Они обнаружили, что риск развития рака, выявленный по метилированию в клетках, был ниже у тех, кто ел больше зеленых листовых овощей. Вероятность быть рожденным с поврежденной ДНК очень мала. Повреждения развиваются с течением времени из-за подверженности ядам или недостатка микронутриентов. Микронутриенты в зелени не только предотвращают, но и восстанавливают любые разрушения, которые, возможно, произошли.

Типичные изменения в ДНК клеток, которые приводят к раку, называются эпигенетическими изменениями. Это такие постепенные изменения, которые происходят с течением времени и которые накапливаются до тех пор, пока их не будет достаточно для того, чтобы изменить механизмы управления нормальной клеткой. Рак не возникает внезапно, он происходит в результате многолетнего самоуничижения, и наряду с этим маршрутом к карциногенезу, нарушения можно остановить и «починить» задолго до того, как клетки станут раковыми.

Как показывают исследования, ДНК людей, которые едят больше листовых зеленых овощей, обладают меньшим риском формирования рака, или менее аномальное метилирование. Явление метилирования, его связь с раком и предотвращение аномального метилирования зелеными овощами также отмечалось и в других исследованиях. В зеленых овощах присутствуют фитохимикаты, которые могут не только предотвратить аномальное метилирование и деметилирование, но на самом деле могут запустить механизмы восстановления клеток для «починки» неправильно метилированных сегментов ДНК.

Вот как работает предлагаемая модель:

Больше зеленых овощей → Меньше метилирование ДНК → Риск рака ниже

Это можно выразить и противоположным образом:

Меньше зеленых овощей → Больше метилирование ДНК → Выше риск рака

КРЕСТОЦВЕТНЫЕ БОРЦЫ С БОЛЕЗНЯМИ

Зеленые овощи, такие как браунколь, белокочанная капуста, листовая капуста и брокколи, и плюс некоторые «незеленые» овощи — цветная капуста и репа — называются крестоцветными. Названы они так за свои цветы, четыре лепестка которых расположены симметрично в форме креста, от латинского слова *crucifer*, что значит «крестоносец». Защитные микронутриенты и фитохимикаты есть во всех овощах, но у крестоцветных наличествует уникальная химическая композиция, есть содержащие серу компоненты, ответственные за жгучий или горький привкус. Когда их клетки разрушаются при измельчении (ножом или блендером), происходит химическая реакция, которая превращает эти серосодержащие компоненты в изотиоцианаты

(ИТЦ) — ряд веществ с подтвержденным и мощным стимулирующим действием на иммунную систему и противораковой активностью.

Было идентифицировано свыше 120 ИТЦ; разные ИТЦ имеют различные механизмы воздействия. Поскольку разные ИТЦ могут работать в разных областях клетки над разными молекулами, они могут обладать совместным, аддитивным эффектом, синергетически работая на удаление карциногенов и уничтожение раковых клеток. Также некоторые ИТЦ обладают противовоспалительными, антиоксидантными и даже иммунологическими свойствами. ИТЦ могут ингибировать ангиогенез, процесс, посредством которого опухоли обеспечивают себя поступлением крови путем стимулирования роста кровеносных сосудов для питания размножающихся и растущих раковых клеток. Склонные к раку и злокачественные клетки выделяют вещества, которые стимулируют рост новых кровеносных сосудов, обеспечивая таким образом свое выживание и распространение.

> Фундаментальный шаг к переходу в рак — успешное стимулирование кровеносных сосудов, так что продукты, которые замедляют ангиогенез, были признаны мощным средством в борьбе с раком.

Определенные ИТЦ обезвреживают и/или удаляют карциногенные компоненты, особенно зеленые крестоцветные овощи, такие как брокколи и брюссельская капуста, которые являются богатым источником ИТЦ сульфорафан. Сульфорафан также предотвращает канцерогены от присоединения к ДНК и получению способности инициировать раковые изменения в клетке, а также активирует ферменты, которые защищают клетку от любых повреждений ДНК, которые произошли. ИТЦ дает каждой клетке собственный щит, который изолирует разрушительные яды и нейтрализует или разделяет их так, чтобы они не нанесли вреда. Но если ДНК получила повреждения, рост поврежденных клеток может быть остановлен, чтобы позволить ДНК восстановиться, или клетки могут быть запрограммированы на отмирание (апоптоз). Эти процессы, которые защищают клетки изнутри от повреждений, могут стимулироваться только этими веществами в зеленых овощах. Некоторые ИТЦ, включая сульфорафан, индол-3-карбинол и дииндолметан, изучались на предмет прекращения роста или индуцирования отмирания раковых клеток при раке груди и прямой кишки.

Некоторые ИТЦ с сильным противораковым действием

- ♦ Сульфорафан
- ♦ Фенилэтилизотиоцианат (ФЭИТЦ)
- ♦ Аллилизотиоцианат (АИТЦ)
- ♦ Индол-3-карбинол (ИЗК)
- ♦ 3,3-дииндолметан (ДИМ)

По-видимому, человеческий организм уже запрограммирован на борьбу с инфекциями и раком. Иммунная система подобна защитному полю из научно-фантастических фильмов, но едва ли кто-то включает его, поскольку «движок» этого «поля» не заправляется топливом — зелеными овощами.

Индол-3-карбинол (ИЗК) и его метаболит 3,3-дииндолметан (ДИМ) могут быть особенно успешными в борьбе с гормонозависимыми видами рака; они помогают организму преобразовывать эстроген и другие гормоны в формы, которые более просто выводятся из организма. Метаболиты типа ДИМ образуются как часть естественных биохимических процессов распада и отщепления родительских веществ.

Такие наблюдения на культурах клеток и в исследованиях над животными были подтверждены эпидемиологическими исследованиями на людях, изучавших взаимосвязь между потреблением крестоцветных овощей и числом новых случаев заболевания раком. С ростом потребления крестоцветных соответственно уменьшались случаи заболевания раком груди, легких, простаты и колоректального рака. Отмечалась аналогичная связь между потреблением овощей в целом и снижением заболеваний раком, но крестоцветные намного более действенны и их действие более обосновано в научной литературе.

♦ Крестоцветные по силе воздействия двукратно превосходят другие растения. В масштабных исследованиях, проводимых среди населения, 20%-ное увеличение потребления растительной пищи в целом соответствовало 20%-ному снижению количества случаев заболевания раком, но увеличение потребления на 20% крестоцветных соответствовало уже 40%-ному снижению количества случаев заболевания раком.

♦ 28 порций овощей в неделю снижают риск развития рака простаты на 33%, но уже 3 порции крестоцветных в неделю улучшают этот показатель до уровня в 41%.

♦ 1 или больше порций белокачанной капусты в неделю снижают случаи рака поджелудочной железы на 38%.

Убийцы вирусов

А вот где это становится еще более интересным. ИЗК и ДИМ не только эффективно помогают бороться с раком, но и, как показали недавние исследования, важны для включения отклика интерферонов, что служит мощным стимулятором атаки на вирусы. В частности, было показано, что в результате влияния этих ИТЦ впечатляюще возросла разрушительная мощность иммунных клеток и резистентность к вирусным инфекциям. Уже было показано, что ДИМ устраняет дисплазию шейки матки, папилломы в гортани и бородавки. В настоящее время вещество исследуется в качестве средства лечения множества вирусных инфекций и устойчивых к антибиотикам бактериальных инфекций, включая ВИЧ, вирус папилломы человека и гепатиты.

Предметом особого интереса здесь является то, что производные крестоцветных сообща действуют для увеличения защиты против бактериальных инфекций, особенно при способности определенных бактерий развивать устойчивость к антибиотикам. Особую тревогу вызывают устойчивые к антибиотикам внутрибольничные инфекции. Пневмококк, к примеру, вызывает в США около 3000 случаев менингита, 50 000 случаев бактериемии, 500 000 случаев пневмонии и около 7 000 000 случаев отита среднего уха, и это помимо того, что данная бактерия является основной причиной смертности. Штаммы резистентного к антибиотикам стрептококка возникли и широко распространены в некоторых сообществах. Изотиоцианаты зеленых овощей обладают природным антимикробным эффектом, который можно использовать в качестве содействия стимулирования естественных защитных инструментов клетки для запуска повышенного состояния резистентности к этим опасным (и лекарствоустойчивым) бактериям.

Вдобавок те же самые содержащиеся в зеленых овощах вещества борются против бактерии H. pylori. Эта бактерия способствует развитию язвенной болезни желудка и связывается с явным ростом риска рака желудка.

> Употребление большого количества крестоцветных замедляет действие H. pylori, а в тестах ИТЦ проявили себя как возможное новое средство лечения этого заболевания.

Даже хотя исследования проводились в основном на животных и с ограниченным числом участвующих людей, дело тут не в том, что это самая новая крутая таблетка, а в том, что регулярное употребление всех этих микронутриентов порождает целую совокупность полезных для здоровья эффектов, что снижает шансы подхватить инфекцию.

Другим примером защитной мощи крестоцветных является ситуация с NRF-2, главным регулятором антиоксидантного отклика. Это сложный белок, которые активирует наши гены (фактор транскрипции) на производство широкого ряда защитных веществ, которые борются против заболеваний и воспалений.

Отходы жизнедеятельности клетки преждевременно старят нас и вызывают заболевания. Есть два вида отходов: **экзогенные** отходы, которые мы поглощаем из окружающей среды, и **эндогенные**, которые образуются как побочный продукт клеточного метаболизма. Присутствие и функция фактора транскрипции NRF-2 критически важно для обезвреживания эндогенных отходов и свободных радикалов. Эндогенные отходы, известные как активные формы кислорода (АФК), могут повредить биологические макромолекулы и наносят вред здоровью клетки. Они называются активными из-за наличия у них свободных радикалов, или неспаренных электронов, количество которых возрастает в тканях человеческого организма и вызывает разрушение нормальной клеточной структуры. Если их быстро не удалить, эти активные вещества вызывают заболевания и преждевременное старение. Представьте, если бы внутри вашего дома набирало силу торнадо, раскурочивая его изнутри.

Белки NRF-2 – это факторы транскрипции, которые прикрепляются к ARE и активируют соответствующие сегменты генов. Затем эти гены активируют собственный защитный отклик организма, который способен защитить нас от множества связанных с окислительным стрессом осложнений, даже в ситуации, где введение экзогенных антиоксидантов, которые являются короткодействующими (такие, как витамин C и витамин E), пользы не приносит. NRF-2 активизируются (нормальное функционирование), когда мы едим зеленые овощи, обеспечивающие нас ИТЦ. Когда мы не едим крестоцветные, одна из самых важных естественных систем защиты клетки (NRF-2-ARE) не работает. Еще одно доказательство того, что наша продолжительность жизни и состояние здоровья зависят от веществ в зеленых овощах.

Также фактор NRF-2 отвечает за предотвращение отложения атеросклеротических бляшек на стенках кровеносных сосудов. Если NRF-2 активирован, клетки эндотелия, которые выстилают поверхность кровеносных сосудов, предотвращают адгезию (прилипание) жира. Поскольку зеленые овощи активируют фактор NRF-2, они очень важны как для сохранения здоровья сердца, так и для стимулирования рецессии сердечных заболеваний. Затем NRF-2 меняет белки, экспрессируемые на мембранах клеток эндотелия, предотвращая возможность осаждения атеросклеротических отложений в этом месте. Активизация NRF-2 особенно важна для коронарных сосудов в местах изгибов, где из-за повышенного давления крови бляшки образуются с большей вероятностью.

Как получить от крестоцветных
максимум пользы

Способы приготовления влияют на способность ИТЦ перевариваться и всасываться. Резка, пережевывание, измельчение в блендере или отжим сока способствуют усиленному образованию изотиоцианатов. Другими словами, эти полезные вещества заранее в растениях не образуются. Они появляются в нашем рту из глюкозинолатов — прекурсоров в процессе жевания и разрушения клеточных стенок. Чем больше клеточных стенок разрушено, тем больше фермента мирозиназы (находящейся в клеточной мембране) высвобождается и может смешаться с глюкозинолатами внутри клетки для катализации реакции, в результате которой образуются ИТЦ.

Глюкозинолаты + Мирозиназа = Изотиоцианаты (ИТЦ)

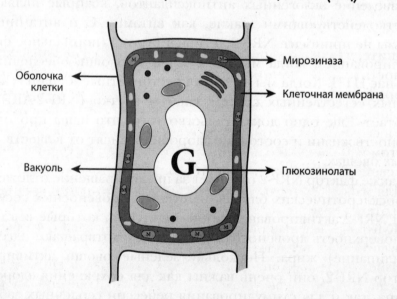

Некоторые полезные свойства ИТЦ могут быть утеряны при кипячении или варке на пару, поскольку фермент мирозиназа разрушается от высокой температуры, так что максимум пользы от крестоцветных мы получим, если будем есть их сырыми. Но некоторое количество ИТЦ в прошедших кулинарную обработку крестоцветных все еще может остаться, поскольку бактерии в пищеварительном тракте обладают некоторой активностью в отношении мирозиназы. Способность бактерий кишечника продуцировать мирозиназу может быть увеличена регулярным потреблением зеленых овощей.

ПЕРЕЧЕНЬ КРЕСТОЦВЕТНЫХ:

- Белокочанная капуста
- Браунколь
- Брокколи
- Брокколини
- Брюссельская капуста
- Жеруха обыкновенная
- Кале
- Капуста полевая
- Китайская капуста
- Кольраби
- Краснокачанная капуста
- Листовая горчица
- Редис
- Рукола
- Турнепс[1]
- Хрен
- Цветная капуста

Помните, что нагрев или кулинарная обработка не снижают активность и функционирование ИТЦ, а деактивируют фермент, который ускоряет их образование. Это значит, что, если вы измельчили в блендере, порубили или выжали сок из зеленых овощей в сыром виде, чтобы выработка ИТЦ была максимальной, а потом измельченное потушили или сварили в супе, все полезные свойства ИТЦ будут присутствовать в готовом блюде.

Для максимального усиления иммунной функции главное на этом этапе — сделать следующее:

1. Жуйте все зеленые овощи очень-очень тщательно, чтобы разрушить каждую клетку.
2. Измельчайте крестоцветные перед тем, как тушить или варить их.
3. Если готовите крестоцветные (брокколи, капусту) на пару, слегка недодержите их, чтобы они не стали слишком мягкими.

Крестоцветные являются не только самыми мощными антираковыми продуктами из существующих; также у них самая большая плотность микронутриентов из всех овощей. Хотя Нацио-

---

[1]Турнепс — «кормовая репа», двулетнее растение из семейства капустных.

нальный институт рака рекомендует для предотвращения рака ежедневно употреблять 5–9 порций фруктов и овощей, отдельных рекомендаций по крестоцветным они пока не дали. Я рекомендую 6 порций свежих фруктов и 8 порций овощей ежедневно, включая 2 порции крестоцветных овощей, по крайней мере одну — в сыром виде.

> Потребление широкого разнообразия богатых ИТЦ крестоцветных овощей на фоне общей наполненной микронутриентами диеты может обеспечить высокую степень защиты против инфекций и рака.

ГРИБЫ МОГУТ СПАСТИ ВАМ ЖИЗНЬ

Среди чудесных суперпродуктов, которые играют важную роль в сохранении мощи иммунной системы, — грибы. Грибы уникальны, поскольку содержат множество необычных веществ, способствующих борьбе с заболеваниями, действие которых начинают понимать только сейчас. В грибах есть несколько поддерживающих иммунитет ингредиентов, которые побуждают организм реагировать быстро и мощно, когда мы подвергаемся болезнетворным вирусам и бактериям. В большинстве случаев мы можем победить микробы, действию которых подверглись, еще до того, как обозначатся первые симптомы заболевания. Фитохимикаты грибов даже могут быть полезны для аутоиммунных заболеваний типа ревматоидного артрита и волчанки благодаря своим противовоспалительным и иммуномодулирующим свойствам.

Если зеленые овощи — короли супериммунитета, то грибы — первые министры. Прежде всего в экспериментах на животных и клеточных культурах было показано, что обычные грибы повышают активность и функционирование цитотоксических т-лимфоцитов (ЦТЛ). Эти клетки обнаруживают инфицированные вирусом или поврежденные клетки, а затем атакуют их и удаляют. Действующие ЦТЛ атакуют аномальные клетки и разрушают их, выпускают «убивающие гранулы».

Шампиньоны (белые, кремовые, портобелло), вешенки, гриб-баран, трутовик лакированный — все эти грибы, как было показано, обладают противораковым эффектом — предотвращая повреждение ДНК, замедляя рост опухолей или раковых клеток, вызывая апоптоз раковых клеток или предотвращая подключение опухолей к кровотоку. Эти эффекты были продемонстрированы при раке груди, простаты, прямой кишки и/или раковых клетках.

В шампиньонах содержатся антигенсвязанные лектины (АСЛ), которые связываются только с аномальными телами путем распознавания молекулы на поверхности многих раковых клеток и последующего активирования защитных сил организма с призывом атаковать эту клетку.

Интересно, что после приближения и присоединения к аномальной клетке лектины проникают в клетку и препятствуют ее способности реплицироваться, таким образом предотвращая распространение рака без какого-либо вреда для здоровых клеток.

В войне с раком груди мы можем победить

Регулярное потребление грибов связывается со значительным уменьшением рака груди у женщин в пред- и постменопаузе. Поразительно, но частое употребление грибов может снизить количество заболеваний раком груди вплоть до 60–70%. В одном недавнем исследовании было показано, что у женщин, которые едят по крайней мере 10 г свежих грибов в день (что эквивалентно всего-то одному маленькому грибу), риск развития рака груди ниже на 64%. Еще сильнее оказались защищены женщины, которые ежедневно ели 10 г грибов и пили зеленые компоненты из зеленого чая — снижение риска на 89% для женщин в пременопаузе и на 82% для женщин в постменопаузе. Аналогичные взаимосвязи наблюдались в исследованиях рака желудка и колоректального рака. Трудно в это поверить, правда? Почему не все женщины знают о том, что грибы — мощное средство против рака груди? Сочетание грибов и зеленых овощей — мощный антираковый коктейль.

Грибы борются с раком груди многими способами. В них содержатся вещества под названием «ингибиторы ароматазы», которые помогают организму снижать уровень эстрогена и предотвращают стимулирование тканей груди эстрогеном. Ароматаза (иногда называемая «эстроген-синтаза») — это фермент, который вырабатывает эстроген и который отвечает за регулирование уровня эстрогенов в организме. Поскольку эстроген играет важную роль в развитии рака груди, подавление активности ароматазы является защитным фактором. Избыточная экспрессия фермента ароматазы в опухолях груди, как считается, вносит вклад в развитие раков груди, повышая уровень эстрогенов в окружающей области.

В настоящее время в лечении некоторых видов рака применяется несколько лекарственных средств, действие которых основано на подавлении активности ароматазы. Но ингибиторы ароматазы, присутствующие в рационе, являются эффективной жизненной стратегией предотвращения заболевания, которая будет снижать уровни эстрогена, уменьшая риск развития рака груди. Способность подавлять активность ароматазы была исследована на нескольких видах грибов — вот как они ранжируются:

♦ **Высокая антиароматазная активность:** шампиньоны (белый, кремовый, портобелло), трутовик лакированный, гриб-баран.

♦ **Умеренная антиароматазная активность:** шиитаке, лисички, шампиньоны-крошки.

♦ **Небольшая или нулевая антиароматазная активность:** вешенки, аурикулярия.

Вне зависимости от активности в отношении ароматазы действенность грибов против рака груди обнаружилась во всех видах грибов, которые изучались в данном исследовании, и это свойство оказалось устойчивым к высоким температурам, то есть сохранялось после кулинарной обработки грибов. Самый распространенный и самый дешевый вид грибов — белый шампиньон — обладает всеми этими свойствами. Если эти сведения о грибах еще не приводят вас в восторг, есть и другие.

Грибы способствуют образованию и мейозу дендритных клеток в организме человека и улучшают функционирование презентации антигена. Дендритные клетки — это древовидные клетки иммунной системы, которые рассеяны по организму в незрелой или неактивной форме. Будучи активированными, они захватывают и обрабатывают то, что посчитали чужеродным материалом, чтобы представить его другим клеткам иммунной системы с целью удалить или уничтожить опасность. То есть они захватывают болезнетворные микробы или аномальные клетки так, что другие иммунные клетки могут их уничтожить.

Дендритные клетки присутствуют в тканях, контактирующих с окружающей средой, — коже, внутренней поверхности носа, легких, желудка и кишечника. В незрелой форме могут быть обнаружены в крови. Будучи активированными, мигрируют к лимфоузлам, где взаимодействуют с Т- и В-клетками, чтобы инициировать иммунную атаку. Деятельность дендритных клеток может ослабляться с возрастом, что приводит к утере иммунной функции. По мере нашего старения постепенное угасание работы дендритных клеток подвергает нас угрозам инфицирования и повышению риска развития рака. Однако употребление усиливающих иммунитет веществ, произведенных из грибов и зеленых овощей, может предотвратить эту возрастную утерю иммунитета.

> Хотя грибы и сами по себе содержат уникальные фитохимические компоненты, обладающие множеством иммуностимулирующих свойств, эти характеристики еще больше усиливаются, когда в диете одновременно присутствуют грибы, лук и зеленые овощи.

Не только грибы, но и фитохимикаты под названием «биофлавоноиды», которые присутствуют во фруктах, луке и ягодах, наряду с изотиоцианатами — производными зеленых овощей, как выяснилось, являются антиканцерогенами, которые активируют эти дендритные клетки.

Грибы также содержат ингибиторы ангиогенеза, которые еще более затормаживают рост опухолей, аномальных клеток и рака. Под ангиогенезом понимается рост новых кровеносных сосудов. Рак, опухоли и жир секретируют вещества, стимулирующие ангиогенез, что поддерживает их собственный рост; но грибы говорят на это: «Несогласные мы!»

АНГИОГЕНЕЗ ТРЕБУЕТСЯ ДЛЯ ПОДПИТЫВАНИЯ РОСТА ОПУХОЛИ И ЖИРА В ОРГАНИЗМЕ

Ангиогенез — это сложный физиологический процесс, при котором новые кровеносные сосуды образуются из прежде существовавших. В ответ на сигнал к ангиогенезу из кровеносных сосудов начинают прорастать клетки эндотелия, делятся и образуют трубкообразные структуры, которые затем развиваются в новые сосуды. Ангиогенез в норме протекает в период внутриутробного развития и в процессе роста ребенка. У взрослых ангиогенез наблюдается только в особых ситуациях, например при залечивании ран. Однако избыточный ангиогенез вносит вклад в некоторые заболевания — ожирение, рак, макулярную дегенерацию и хронические воспалительные состояния.

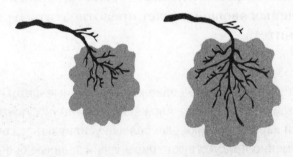

Ангиогенез требуется для подпитывания
роста опухоли и жира в организме

При развитии рака ангиогинез инициируется тогда, когда опухоль стала уже достаточно крупной и нуждается в собственном подводе кровотока. Опухоль сигнализирует соседствующим кровеносным сосудам, те начинают ответвляться и обеспечивают новообразование кислородом и питательными веществами, и из-за этих новых сосудов безопасная микроскопическая опухоль начинает расти, распространяться и становиться опасной.

Отличительным признаком рака является быстрый бесконтрольный рост и размножение клеток; именно поэтому рак столь опасен для жизни.

Поскольку ангиогенез у здоровых взрослых редок, а для роста опухолей необходим, блокирование ангиогенеза является одной из стратегий предотвращения и лечения рака. Было разработано несколько препаратов, механизм действия которых основан на блокировании разных этапов процесса ангиогенеза, и некоторые из этих препаратов были сертифицированы Управлением по контролю за пищевыми продуктами и лекарственными препаратами США и в настоящее время применяются в терапии рака.

ИНГИБИРОВАНИЕ АНГИОГЕНЕЗА	СТИМУЛИРОВАНИЕ АНГИОГЕНЕЗА
Предотвращает рост опухолей	Способствует опухолям и раку
Предотвращает распространение жировых клеток	Способствует отложению жира
Предотвращает воспаления	Усиливает воспаление
Замедляет развитие рака	Повышает аппетит

 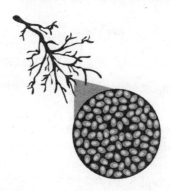

Множество растительных продуктов содержат натуральные ингибиторы ангиогенеза, в особенности грибы. Эффективность присутствия ингибиторов ангиогенеза в рационе сейчас исследуется в качестве превентивной стратегии по «уморению голодом» рака, пока новообразование еще небольшое и безопасное.

Если в нашей диете присутствует множество ингибиторов ангиогенеза, это предотвращает получение кровеносных сосудов небольшими опухолями, их дальнейший рост и перерождение в более агрессивные формы или рак. Это один из путей, которыми грибы, лук, зеленые овощи и ягоды защищают от рака.

В качестве меры предосторожности грибы не следует есть сырыми, поскольку некоторые исследования показали токсичность сырых грибов в опытах на животных. К приготовленным грибам это не относится.

Прекращение роста жировых клеток

Аналогично рост жировой ткани зависит от ангиогенеза, и ингибирование ангиогенеза посредством потребления этих полезных продуктов замедляет отложение жира и его рост. Это подразумевает, что поедание этих полезных суперпродуктов способствует здоровому весу, и происходит это не только из-за снижения количества потребляемых калорий, но также и по причине поглощения других полезных питательных веществ, включая ингибиторы ангиогенеза.

АНТИАНГИОГЕННЫЕ ПРОДУКТЫ/ ПИТАТЕЛЬНЫЕ ВЕЩЕСТВА

- ♦ Айва
- ♦ Виноград
- ♦ Гранат
- ♦ Грибы
- ♦ Зеленый чай
- ♦ Имбирь
- ♦ Корица
- ♦ Крестоцветные
- ♦ Куркума
- ♦ Овощи семейства луковых
- ♦ Омега-3 жирные кислоты
- ♦ Перец
- ♦ Ресвератрол (в винограде и красном вине)
- ♦ Семена льна
- ♦ Соя
- ♦ Томаты
- ♦ Цитрусовые
- ♦ Черный рис
- ♦ Шпинат
- ♦ Ягоды

Продукты и питательные вещества, стимулирующие ангио-генез, способствуют ожирению и раку — такие как белая мука и сладости, которые повышают уровень инсулина, жиров, холестерина, — стандартная западная диета. Так что эти современные вредные для здоровья продукты также способствуют отложению жира, вдобавок к их высокой плотности калорий. Они вдвойне вредны, в то время как зеленые овощи, грибы, лук, ягоды и продукты, перечисленные выше, несут двойную пользу.

ЛУК И ЧЕСНОК БОРЮТСЯ С РАКОМ И ФОРМИРУЮТ ИММУНИТЕТ

Семейство луковых, которое включает в себя лук, чеснок, лук-порей, лук-шалот, шнитт-лук, лук-перо придают вашей диете не только аромат, но добавляют также и противораковые, противовоспалительные и антиоксидантные вещества. С древнейших времен люди знали о том, что эти продукты обладают целебными свойствами, и употребляли их ежедневно. Даже в Средневековье признавалось, что лук и чеснок защищают иммунную систему и также являются средством ускорить выздоровление, если некто слег с инфекцией. Мы утратили навык пользоваться пищей как лекарством, но правильные натуральные продукты в самом деле наши самые эффективные средства.

Эпидемиологические исследования показали, что увеличенное потребление луковых связывается со снижением риска рака всех типичных локализаций, и, как считается, обусловлено наличием сероорганических соединений, которые высвобождаются при измельчении овощей или пережевывании. Аналогично семейству крестоцветных, стенки клеток луковых содержат фермент аллииназу, который отвечает за образование этого запаха серной кислоты, вызывающего у нас слезы. Но пока эта реакция происходит на кухне, образуются стимулирующие иммунитет сульфиды. Эти вещества предотвращают развитие рака, обезвреживая канцерогены, а также они обладают свойствами замедления ангиогенеза, останавливающими рост раковых клеток, препятствуя получению опухолью собственного кровотока.

Новое исследование предполагает, что эти сероорганические соединения в семействе луковых также обладают противовоспалительным действием, которое защищает от остеоартрита и блокирует инфекции. Когда мы едим сероорганические вещества и гликопротеины, которые содержатся в луковых, они работают совместно с другими микронутриентами, улучшая иммунную функцию и предотвращая заболевания. Как выявило тщательное международное исследование типа «случай—контроль», среди лиц, потребляющих лук в наибольших количествах, случаев рака было более чем в половину меньше, чем среди тех, кто лук ест редко.

- ♦ на 56% меньше рака прямой кишки
- ♦ на 73% меньше рака яичников
- ♦ на 88% меньше рака пищевода
- ♦ на 71% меньше рака простаты
- ♦ на 50% меньше рака желудка

В этом исследовании «потребление лука в наибольших количествах» значило, что исследуемые ели 7 или больше 80-граммовых порций лука в неделю; «потребление лука в наименьших количествах» — меньше чем 1 порция в неделю. Это приблизительно полчашки резаного лука в день. Представьте защитный эффект, если есть в надлежащих количествах три самых первых суперпродукта из списка: крестоцветные, грибы и лук почти каждый день.

ГРАНАТЫ И ЯГОДЫ — СУПЕРГЕРОИ МАСКИРОВКИ

Гранат — это уникальный древний фрукт, созревающий на небольшом долгоживущем дереве, которое культивируется по всей Азии и Средиземноморью и далее на север вплоть до Гималаев. В результате возрастающего понимания его целебных свойств сейчас выращивается на бо́льших площадях в Калифорнии и южных штатах США. За последнее десятилетие были опубликованы многочисленные исследования антиоксидантных, противораковых и противовоспалительных свойств граната применительно к лечению и предотвращению рака, диабета, эректильной дисфункции, бактериальных инфекций и устойчивости к антибиотикам, а также повреждений кожи, вызванных УФ-излучением.

Сок и семена обладают мощными антиоксидантными и противораковыми свойствами, включая противодействие пролиферации клеток опухоли, их делению, внедрению и ангиогенезу (аналогично грибам). Фитохимия гранатов предлагает широкий диапазон клинических приложений для лечения и предотвращения рака, а также других заболеваний, в которых ключевым фактором считается хроническое воспаление.

Гранатовый сок содержит антиоксиданты — растворимые полифенолы, танины, антоцианины, и, как было показано на мышах и людях, обладает противовоспалительными, антибактериальными и противоатеросклеротическими свойствами.

Некоторые преимущества семян и сока граната:
1. В исследовании на лабораторных животных было показано, что гранаты замедляют развитие рака груди, рака простаты, рака прямой кишки, лейкемии и предотвращают изменения сосудов, которые способствуют росту опухоли.
2. Гранат ингибирует ангиотензин-превращающий фермент и естественным образом снижает давление крови.
3. Было показано, что мощные антиоксидантные вещества, содержащиеся в гранате, обращают вспять течение атеросклероза и уменьшают избыточную свертываемость крови и агрегацию тромбоцитов, которые могут привести к инфарктам и инсультам.
4. В гранате есть эстрогенподобные вещества, которые стимулируют рецепторы серотонина и эстрогена, ослабляя симптомы депрессии и способствуя наращиванию костной массы у лабораторных животных.

5. Было показано, что гранат уменьшает повреждение тканей у лиц с заболеваниями почек, снижает количество инфекций и предотвращает тяжелые инфекции.

6. И не менее впечатляющий результат: пациенты с заболеваниями сердца, страдающие тяжелой блокадой сонных артерий, получали около 30 мл гранатового сока в течение года; вследствие чего у них не только на 20% снизилось давление, но и на 30% уменьшились атеросклеротические бляшки.

Что интересно, гранаты также являются активным и мощным средством борьбы с раком груди. Подобно грибам, гранаты обладают существенной активностью против ароматазы, поскольку являются богатым источником эллаговых танинов. Благодаря этому гранаты сдерживают рост эстрогена и тестостерона в организме и блокируют стимулирование тканей груди, зависящее от этих гормонов. Рост числа свидетельств подтвердил эффективность употребления граната для предотвращения рака при моделировании на животных и при изучении людей.

КАК ОТКРЫТЬ ГРАНАТ

Покупайте твердый фрукт. Для сохранения свежести храните замороженным. Сделайте круговой надрез через середину плода глубиной около 1,5 см, затем поверните, разделяя плод на две половинки.

Одну половину возьмите в ладонь разрезом вниз, под руку поставьте большой салатник. Тяжелой деревянной ложкой сильно простучите весь «купол» лежащей у вас в руке половинки фрукта.

Как следует простучите каждый квадратный сантиметр, чтобы кожица размягчилась и стала гибкой, пока в руку не начнут выпадать маленькие красные зернышки и из руки — в салатник. Затем выверните шкурку, чтобы достать остающиеся зернышки пальцами. Повторите с другой половинкой.

Ешьте гранат просто так и в салатах, употребляйте в рецептах, замораживайте для дальнейшего использования вне сезона и ешьте часто. В разделе с рецептами в этой книге есть несколько отличных идей, которые позволят вам наслаждаться гранатом в меню.

Ягоды обладают схожими с гранатом полезными эффектами. В исследовании на крысах животных подвергали действию химиката-канцерогена, который повреждал ДНК, а затем кормили сушеной черникой; в результате гены трансформировались обратно почти до нормального состояния. Эффект был столь же примечательным, как и польза от зелени крестоцветных.

Исследование на крысах, подвергавшихся воздействию химикатов-канцерогенов и получавших затем ягоды, повторялось во многих других исследованиях, и влияние ягод или ягодного концентрата постоянно показывало уменьшение в количестве случаев рака разной локализации, включая рак пищевода, прямой кишки и рта. Аналогично, когда крысам вводили эстроген с целью развития опухолей в молочных железах, прием голубики и малины предотвращал начало развития опухолей, а если опухоль уже была — экстракты ягод уменьшали ее размер.

Идея применения ягод как противоракового средства появилась в конце 1980-х гг., когда ученые открыли, что эллаговая кислота, содержащаяся во многих фруктах и овощах, замедляет образование опухолей. Затем они обнаружили, что много эллаговой кислоты содержится в ягодах, а больше всего по сравнению с другими ягодами и фруктами ее содержится в черной малине. Позже выяснилось, что в ягодах есть и множество других противораковых фитохимических веществ, например ряд антоцианидинов, обладающих мощными противораковыми свойствами. Все ягоды и соки из них — это суперпродукты, включая голубику, чернику, малину, асаи, дерезу, бузину и клубнику.

СЕМЕНА — ЕЩЕ ОДНА ДВЕРЬ В СТРАНУ ОТМЕННОГО ЗДОРОВЬЯ

Прежде чем мы завершим эту главу о суперпродуктах, я должен обсудить ценность орехов и семян. В них много жиров и белков, как в пище животного происхождения, но воздействие на организм совершенно другое. Вместо способствования заболеваниям, как это делают животные жиры, орехи и семена предотвращают и исцеляют их. В сотнях медицинских исследований было продемонстрировано, что орехи и семена существенно продляют жизнь и защищают от заболеваний.

> Орехи и семена не только вкусные и полезные продукты; их легко взять с собой, что важно в путешествии. Как еще вы унесете половину суточной дозы калорий в кармане своей сумки для ноутбука или будете забираться на гору в многодневном походе?

Семена дают вам все преимущества орехов — и еще сверх того. В них больше белка, чем в орехах, и множество других важных питательных веществ. Семена — это самый чудесный продукт. В отличие от рекламного слогана хлеба одной торговой марки, они на самом деле укрепляют организм дюжиной способов. Семя — это живой, но очень прочный продукт, упакованный в оболочку; и может прорасти спустя даже 200 лет при благоприятных условиях.

Семена льна — это источник не только полезных Омега-3-жирных кислот, но и противораковых лигнанов, чья клейкая составляющая смазывает и упрощает движение кишечника. Лучше всего молоть их самим дома. Самый хороший сорт — лен, выращенный на бедных кадмием почвах. Представляет интерес исследование, которое показывает, что когда семена льна дают женщинам с раком груди, у них замедляется рост опухоли и повышается выживаемость по сравнению с теми, кому льна не давали.

Семена подсолнечника чрезвычайно богаты витамином Е, селеном, железом и другими минералами. При 22%-ной калорийности, приходящихся на белок, и большом содержании триптофана семена подсолнечника — это полезный для здоровья способ получения достаточного количеств белка, которым могут воспользоваться вегетарианцы, веганы, флекситарианцы и нутритарианцы.

Семена тыквы — хороший источник Омега-3-жирных кислот, с высоким содержанием фитохимикатов, богаты также цинком, кальцием и железом.

Семена кунжута — это богатейший источник кальция среди всех продуктов в мире. Что интересно, в них содержится не только хорошо усваиваемый полный спектр различных компонентов витамина Е, но они также повышают биоактивность этого витамина в организме.

САМЫЕ ЛУЧШИЕ СУПЕРПРОДУКТЫ ДЛЯ СУПЕРИММУНИТЕТА

1. Кале, браунколь, листовая горчица
2. Рукола, жеруха
3. Цветная и белокочанная капуста
4. Брокколи и брюссельская капуста
5. Морковь и томаты
6. Лук и чеснок
7. Грибы
8. Гранат
9. Ягоды
10. Семена (льна, чиа[1], кунжута, подсолнечника)

Натуральный витамин Е — это очень сложная жирорастворимая химическая композиция, которая включает в себя альфа-, бета-, гамма- и дельта-токоферолы и токотриенолы, присутствующая в листьях и семенах растений. Витамин Е — не только мощный антиоксидант и нейтрализатор свободных радикалов, он также регулирует деятельность иммунной системы и необходим для жизни. Его польза несравнима с синтетическим витамином Е, продающимся в виде добавок, который содержит только один или два изомера. Множество форм витамина Е в семенах кунжута по сравнению с аптечным витамином Е — это как породистая лошадь по сравнению с игрушечной лошадкой. Сезамин, лигнан

---

[1] Ч и а — растение семейства яснотковые, вид рода шалфей. Семена чиа традиционно употребляются в пищу жителями Мексики, юго-запада США и некоторых районов Латинской Америки.

семян кунжута, также обладает полезными свойствами по улучшению гормонального статуса менопаузы, повышает антиоксидантную активность клеток организма и в то же время уменьшает риск развития рака груди и понижает холестерин.

РЕВОЛЮЦИЯ МИКРОНУТРИЕНТОВ
СВЕРШИЛАСЬ

У нас есть возможность заработать отличное здоровье посредством того, что мы едим. Это не только те комбинации мощных защитных веществ в продуктах типа ягод или граната, которые столь мощны в защите, но, будучи объединенными с зелеными овощами, грибами и луком в рационе, это порождает супериммунитет и подпитывает чудесные самоисцеляющие и самозащитные свойства, уже встроенные в человеческий геном. Комбинация этих веществ более эффективна, чем отдельные агенты, даже и в высоких дозах. Действуя совместно, они подпитывают ряд механизмов, которые и предотвращают клеточные повреждения, и также уничтожают клетки, которые нельзя адекватно восстановить до того, как они станут опасными для организма.

Такой «нутритарианский» подход, смешивающий в рационе продукты, которые обладают наиболее мощными защитными свойствами, является природным, нетоксичным и может предотвратить множество человеческих трагедий, не только стимулируя нашу иммунную систему на борьбу с инфекциями и раком, но также предотвращая инфаркты, инсульты и деменцию. Ряд исследований, изучающий воздействие сочетания суперпродуктов на человека, требует намного больше финансов и поддержки. Если это будет осуществлено, мы определенно обнаружим, что полный набор богатых микронутриентами суперпродуктов обладает широким диапазоном терапевтических возможностей против тяжелых состояний здоровья.

В любом случае умеренное количество этих продуктов само по себе дает солидные преимущества. Однако мой аргумент и рекомендации людям — есть много этих суперпродуктов и есть их все в больших количествах в своей диете. Супериммунитет создается диетой с хорошим «личным составом» усиливающих иммунитет и борющихся с раком продуктов.

ЗЕЛЕНЫЕ ОВОЩИ, ЛУК, ГРИБЫ, ЯГОДЫ, БОБЫ, СЕМЕЧКИ

Диетология дает нам беспрецедентную возможность. Сейчас мы можем прожить намного более долгую и здоровую жизнь, чем когда-либо в истории человека. Мы живем в эру развития наук всех направлений. Но наука — меч обоюдоострый; она может вылечить нас, она может и разрушить нас. Она может ответить на наши вопросы или создать нам проблемы. Я надеюсь, что мы можем научиться применять преимущества современной науки, чтобы принести пользу человечеству и защитить нашу естественную среду обитания от химического или физического разрушения. Ясно, что наше здоровье зависит от состояния планеты и поддержания поступления полезных естественных, немодифицированных продуктов. Множество людей отвергают современную науку, даже когда доказательства оспорить невозможно.

Эта книга может вызывать нападки властей, тех высокопоставленных чиновников, чьим источником существования являются конкурирующие интересы — оздоровительное питание, лекарства, медицинские технологии. Слишком часто люди принимают полномочия за истину. Вы принимаете мнение, выраженное высокопоставленным лицом, правильное или нет, вместо того чтобы, не искажая, внимательно изучать факты. Постоянно виноваты в этом врачи. Они принимают выводы, которые скармливают им престижные медицинские журналы, выводы, которые были сделаны фармкомпаниями, продвигающими свою продукцию, без должного внимания к перекосу в подготовке к исследованиям. Чтобы помочь себе, своей семье, своим соседям, своей нации и всем обитателям планеты, нам придется культивировать уважение к драгоценности нашего естественного мира и культивировать лучшие натуральные продукты, которые могут защитить наше драгоценное здоровье.

Глава 4

ПРОСТУДА И ГРИПП: ЧТО НУЖНО ЗНАТЬ О НИХ

Обычная простуда остается тяжким бременем общества в смысле человеческих страданий и экономических потерь.

Обычная простуда, грипп и более 95% всех острых заболеваний вызываются вирусами. Я специально подчеркиваю это здесь, поскольку один из самых важных моментов при простуде и гриппе — не сама болезнь, а мириады способов, которыми мы пытаемся лечить ее.

Слишком часто так называемые «решения» нагружают нашу иммунную систему, продлевая заболевание или превращая простуды и грипп в нечто гораздо более опасное и даже потенциально угрожающее жизни.

Каждый должен знать, что антибиотики не убивают вирусы и не помогают при восстановлении от вирусной инфекции. И все-таки свыше 90% прописанных антибиотиков используются ненадлежащим образом (прописываются при вирусной инфекции). Да-да, 90%. Антибиотики регулярно и запросто назначаются терапевтами при болезнях типа простуды и бронхита, которые являются вирусными, а не бактериальными. Такое применение антибиотиков — неправильное и опасное. В одном исследовании более половины пациентов, обратившихся к терапевту с симптомами простуды, получили рецепт на антибиотики.

Обычная простуда вызывается клетками организма-хозяина, захваченными вирусом. Преимущественно захватчиками являются риновирусы, но встречаются также и коронавирус, вирус парагриппа, респираторный синцитиальный вирус, аденовирус, эховирус и вирусы Коксаки. Обычно простудой заражают-

ПРОСТУДА И ГРИПП: ЧТО НУЖНО ЗНАТЬ О НИХ

103

ся, если сначала прикоснулись к зараженному объекту или пожали руку инфицированному, а затем дотронулись до своих глаз, носа или рта.

> Грипп вызывается тремя типами вирусов: A, B, C. Гриппом заражаются преимущественно через вдыхание (воздушно-капельный путь), когда незараженный человек находится близко к чихающему или кашляющему зараженному.

Подавляющее большинство фарингитов (болей в горле), заложенностей пазух носа, синуситов, бронхитов имеют вирусную природу. Хорошо известно, что антибиотики при таких состояниях не помогают и могут быть полезны только в относительно редких случаях — при бронхите у курильщиков или у бывших курильщиков с заболеваниями легких со склонностью к избыточному росту бактерий при инфицировании. Злоупотребление антибиотиками в наше время — это бизнес с многомиллиардными ежегодными доходами.

Среди болеющих простудой и гриппом существует распространенное заблуждение относительно цвета слизи. Это очень важно. Пациентам не помогут антибиотики, даже если мокрота зеленая или густая. То есть цвет мокроты не является индикатором вовлеченности в патологический процесс бактерий, поскольку вирусы также способствуют образованию густой желтой или зеленоватой мокроты.

Так что, если у вас простуда, жар, боль в горле или в теле, заложен нос и вы выкашливаете густую желтую или зеленую мокроту, лекарства **не** показаны и их польза не подтверждается научными данными. На самом деле лекарства не ускорят улучшение самочувствия и не предотвратят дальнейших осложнений. Помимо неэффективности, есть еще и другие веские причины избегать применения антибиотиков.

Антибиотики могут продлить заболевание, но, что еще хуже, могут привести к серьезным болезням в будущем. Проблема в том, что, когда мы заболеваем и физически начинаем себя чувствовать очень дискомфортно, мы ищем решение. Никому не хочется чувствовать себя несчастным, и у всех нас есть обязанности, которые нужно выполнять. И мы, желая облегчения, смотрим на лекарства, отпускаемые без рецепта, или того хуже — идем к терапевту за более мощными препаратами.

К сожалению, большинство терапевтов, кажется, только рады соответствовать ожиданиям своих пациентов. Они берут на себя роль «спасителя», когда в действительности их рецепты не только бесполезны, но, что более правдоподобно, вредны для здоровья пациентов в долгосрочной перспективе. Возросшее число госпитализаций, связанных только с негативными реакциями на лекарства, исчисляется системой здравоохранения США миллиардами долларов каждый год. Ежегодно свыше 140 000 тяжелых реакций на антибиотики приводят людей в неотложку, и это не только дорого, но серьезно и даже трагично. Среди госпитализированных негативная реакция на антибиотики встречается почти в четверти всех случаев ненадлежащей реакции на лекарства.

Если это не заставило вас дважды подумать о ненадлежащем применении антибиотиков, примите во внимание, что антибиотики вызывают рак. Согласно данным самого обширного на сегодняшний день проведенного по схеме «случай–контроль» исследования взаимосвязи риска возникновения неходжкинской лимфомы и применения лекарств, прием более 10 курсов антибиотиков в детстве увеличивает вероятность развития неходжкинской лимфомы на 80%. Другие исследования, рассматривающие этот вопрос, также подтверждают взаимосвязь рака, включая повышенные показатели рака груди, которые повышались с ростом назначений антибиотиков. Исследователи обнаружили, что рост совокупного числа дней приема антибиотиков и совокупного числа назначений антибиотиков пропорционально повысили риск рака груди и что для самых часто применяющих антибиотики пациенток (которым прописывали антибиотики от 26 до 50 раз) риск рака груди был выше более чем вдвое по сравнению с женщинами в контрольной группе.

Антибиотики — один из самых распространенных видов лекарств, которые принимают беременные; новое исследование выявило взаимосвязь между приемом антибиотиков во время беременности и случаями врожденных пороков развития. Женщины, принимавшие во время беременности сульфаниламиды и нитрофурантоины (часто назначаются при инфекциях мочевыводящих путей), в 2–4 раза чаще рожали детей с пороками сердца. Более распространенные пенициллин, эритромицин и цефалоспорин также связываются по крайней мере с одним врожденным пороком. Известно также, что прием антибиотиков младенцами в первый год жизни (а больше 90% антибиотиков прописываются некорректно, для борьбы с вирусами) запускает астму и аллергии, которые развиваются позже в детстве. Более половине младенцев до года дают прописанные антибиотики.

> Антибиотики — опасные лекарственные средства, которые следует оставить для тяжелых (и тщательно подтвержденных) бактериальных инфекций, инфекций, которые нанесут серьезный ущерб здоровью пациента, если их не лечить. У нас есть мощная иммунная система, которая, если поддерживается полноценным питанием, будет устранять умеренные инфекции без помощи медикаментов.

И не забывайте еще и о том, что, даже хотя большинство антибиотиков прописывается и принимается по некорректным показаниям, необходимости в корректных показаниях вероятнее всего не возникло бы, если бы было обеспечено высококачественное питание и как следствие — повышенный иммунитет.

Разумеется, среди распространенных побочных эффектов антибиотиков — диарея, нарушения пищеварения, кандидоз, подавление деятельности костного мозга, судороги, нарушения работы почек, тяжелые колиты с кровотечениями и угрожающие жизни аллергические реакции. Следствием нецелесообразного и избыточного применения антибиотиков в предыдущие несколько десятилетий стало появление устойчивых к антибиотикам штаммов смертоносных бактерий.

Помимо этих вероятных рисков у каждого человека, принимающего антибиотики, лекарство убивает широкий ряд полезных бактерий, которые живут в пищеварительном тракте и помогают пищеварению.

> Антибиотики убивают «плохие» бактерии — те, которые могут осложнить инфекцию? — и точно так же убивают полезные, «хорошие» бактерии, выстилающие пищеварительный тракт и обладающие свойствами, которые защищают нас от дальнейших заболеваний. Восстановление нарушенного таким образом бактериального баланса может занять около года после одного курса антибиотиков.

Факты обоснованны, и слишком многие из нас остаются в неведении относительно опасности антибиотиков. Они являются не решением, а в значительной степени частью проблемы. На следующих страницах я пройдусь по различным медикаментозным и немедикаментозным средствам лечения простуды и гриппа и объясню, какие работают, а какие нет. Теорий и мифов здесь множество.

Но, как вы обнаружите дальше, нам нет нужды метаться от одного средства к другому, если дело касается здоровья. Создание суперииммунитета предотвратит простуды и грипп в первую очередь, а при крайне редких обстоятельствах, в которых вы заболеете, мой подход обеспечит вам восстановление в кратчайшие сроки. Есть реальные проверенные средства, доступные вам.

ПОЛЕЗНЫЕ БАКТЕРИИ

Приблизительно одну треть сухого веса наших экскрементов составляют бактерии. Сотни различных видов «хороших» бактерий играют очень важную роль в нашем здоровье, обрабатывая клетчатку и производя определенные витамины, такие как витамины группы В, витамин К и другие питательные вещества. Полезные для здоровья бактерии называются пробиотиками и являются штатными обитателями человеческого желудочно-кишечного тракта.

Удивительно, но клетки бактерий кишечника составляют примерно 95% всего числа клеток в организме человека. Эти обитатели играют критически важную роль в состоянии нашей иммунной системы.

70% иммунной системы расположены в желудочно-кишечном тракте (ЖКТ), и микрофлора (популяция бактерий) ЖКТ образует сложную экосистему, которую можно рассматривать как отдельный орган. Эти микробы оказывают глубокое воздействие на наше здоровье и продолжительность жизни. Определенные стандартные метаболические функции и деятельность ферментов можно объяснить только участием микрофлоры, а они играют важную роль в процессах метаболизма питательных веществ, витаминов, эндогенных гормонов и карциногенов; синтезе короткоцепочечных жирных кислот; предотвращении колонизации патогенами, а также в регулировании нормального иммунного отклика.

К примеру, эта дружественная флора производит короткоцепочечные жирные кислоты (липоевую кислоту и бутираты) и другие питательные вещества, которые обладают антиоксидантными и иммуностимулирующими свойствами. Вдобавок к такой упрочняющей здоровье деятельности, которая позволяет вашему организму функционировать более эффективно, эти хорошие бактерии секретируют антибактериальные вещества, препятствующие захвату организма болезнетворными бактериями. Следовательно, присутствие способствующих укреплению здоровья бактерий вытесняет и предотвращает развитие бактериальных заболеваний.

Когда вы придерживаетесь полезной, богатой микронутриентами, основанной на растительной пище диеты, вы способствуете росту правильных видов бактерий.

Один из примеров — рост пробиотиков, как считается, обеспечивает защиту против рака прямой кишки. Вредная диета приводит к недостатку этих очень мощных и защищающих бактерий и способствует росту микробов, которые могут нанести урон вашему здоровью и организму.

Часто для индикации общего состояния кишечной флоры в кале определяют количество микроорганизмов — лактобацилл (молочнокислых бактерий), бифидобактерий и кишечной палочки. Важность поддерживающих здоровье бактерий в нашем пищеварительном тракте — одна из главнейших причин для того, чтобы избежать разрушения этого деликатного баланса антибиотиками.

> Если вы систематически принимаете антибиотики, вы еще больше угнетаете популяцию полезных бактерий, которые защищают вас от бактерий «вредных».

К тому же «вредные» бактерии становятся более резистентными (в следующий раз их сложнее убить антибиотиками). При употреблении антибиотиков теряется свыше 100 различных видов кишечных бактерий, вследствие чего появляется шанс у патогенных (болезнетворных) бактерий размножаться и заполнить экологическую нишу, образованную повторяющимся введением антибиотиков.

ВАЖНЫЕ ФУНКЦИИ КИШЕЧНОЙ МИКРОФЛОРЫ
(ПОЛЕЗНЫХ БАКТЕРИЙ)
1. Дополняет процесс переваривания для расщепления пищи.
2. Вырабатывает витамины, короткоцепочечные жирные кислоты и белки, нужные организму.
3. Защищает от чрезмерного роста патогенных бактерий и грибков.
4. Усиливает иммунную функцию.
5. Создает полезные питательные вещества, препятствующие набору веса.

ВРЕДОНОСНЫЕ ЭФФЕКТЫ ПАТОГЕННОЙ МИКРОФЛОРЫ И ГРИБКОВ

1. Вырабатывают ядовитые субстанции, в том числе канцерогены.
2. Создают резервуар бактериальных захватчиков для последующего тяжелого инфицирования.
3. Способствуют расстройствам пищеварения.
4. Способствуют нарушению функций иммунной системы и развитию аутоиммунных воспалительных заболеваний.
5. Способствуют набору веса.

Любой, кто уделяет внимание новостям о здоровье, знает, что смертоносные бактерии все сильнее угрожают каждому из нас. Чуть ли не каждую неделю обнаруживается, что ранее хорошо поддающийся воздействию антибиотиков штамм бактерий стал резистентным и угрожает обществу. Свыше сотни тысяч человек ежегодно умирают от внутрибольничных резистентных к антибиотикам инфекций.

Как упоминалось ранее, антибиотики являются частью проблемы. Они способствуют тому, что относительно быстро бактерии мутируют до статуса резистентных. Такие устойчивые бактерии затем могут трансформировать генетический материал нерезистентных бактерий, также превращая их в резистентные.

Воздействие антибиотиков убивает восприимчивые бактерии, но некоторые невосприимчивые выживают и затем размножаются в огромных количествах. В процессе размножения часть их генетических элементов (называемая плазмидами), распространяется по окружающему пространству. Бактерия может нести даже множество генетических элементов, обеспечивающих резистентность сразу нескольким видам бактерий. Резистентные гены затем упаковываются и выводятся бактерией в «пакетах», которые называются «плазмиды» и которые потом подбираются другими бактериями. Это как если бы другая бактерия получила прививку с защитой от антибиотиков, в результате которой формируются и распространяются суперустойчивые вредители, способные перехитрить применяемые против них лекарства.

Регулярное применение антибиотиков со временем может подготовить почву для рецидивирующих инфекций и превратить то, что началось как легкое заболевание, в более тяжелую болезнь с вирулентными бактериями впоследствии. Если вы принимаете антибиотики, когда к тому нет показаний, вероятность того, что потом у вас разовьется инфекция, и тогда уж без них точно не обойтись, возрастает. Проблема в том, что начиная с этого момента, если антибиотик на самом деле необходим для борьбы с возможной угрожающей жизни инфекцией (бактериальная пневмония, туберкулез), вероятность того, что он просто не сработает, возрастает.

Ежедневно люди умирают от инфекций, которые раньше запросто лечились антибиотиками. Микробы сегодня резистентны в основном из-за ненадлежащего применения антибиотиков для борьбы с вирусными заболеваниями. Правильное применение антибиотиков для лечения тяжелых бактериальных инфекций на самом деле относительно редко по сравнению с неправильным применением для вирусных инфекций, когда антибиотики не показаны. Позже мы рассмотрим, когда антибиотики нужны и необходимы для борьбы с бактериальной инфекцией. Лишь отмечу, что это происходит чрезвычайно редко.

Прежде чем перейти к обзору средств против простуды и гриппа, важно, чтобы мы остановились здесь и дали оценку хорошим новостям. У нас есть возможности для того, чтобы быть здоровыми. При правильном выборе мы можем радикально улучшить нашу иммунную систему. Начать мы можем прямо сегодня — с практически мгновенных, глубинных и продолжительных эффектов.

РАСПРОСТРАНЕННЫЕ СРЕДСТВА ПРОТИВ ПРОСТУДЫ И ГРИППА

Для облегчения своего состояния множество людей, подхватив простуду, бронхит (сильная простуда с кашлем), синусит (сильная простуда с заложенностью пазух носа) или фарингит (сильная простуда с болью в горле) пойдет искать безрецептурные лекарства или альтернативные средства.

Проблема в том, что все возможности, которые могут существенно облегчить состояние, имеют такие риски и токсичность, что выгода от их применения того не стоит. Лечение основано на ослаблении симптомов (например, кашля, заложенности носа), но по мере снижения остроты симптомов человек болеет дольше.

> Безрецептурные средства от простуды и гриппа также неэффективны или ослабляют симптомы лишь временно и не без значительных рисков.

Симптомы, которые мы ощущаем, — это естественные меры нашего организма по защите и исцелению. Подавление этих мер скорее приведет к увеличению продолжительности болезни, а не ускорит выздоровление. Это справедливо для снижения температуры, устранения заложенности носа, кашля и тому подобного.

Так как же нам облегчить симптомы? Мы не подавляем их, а вместо этого обеспечиваем свой организм необходимыми ингредиентами, чтобы он мог сделать свою работу. Это означает быть в полном покое, правильно питаться и позволить организму сделать свою работу, не вмешиваясь, или ничего «от разума» не предпринимать.

Декстрометорфан — противокашлевый препарат. Является действующим веществом множества безрецептурных средств от простуды и гриппа. Вопреки широкому применению он неэффективен. На самом деле недавнее плацебо-контролируемое исследование на детях продемонстрировало, что те, кому давали лекарство на ночь, не кашляли меньше, но спали хуже из-за бессонницы, вызванной препаратом. Также нет доказательств эффективности кодеина в лечении кашля, вызванного обычной простудой. Хотя гидрокодон, наркотик, широко применяется и, как было показано, является слабоэффективным противокашлевым средством, эффективность его при простудах не оценивалась должным образом, и употребление его может иметь тяжелые побочные эффекты.

В мединституте меня учили, что неработающие противокашлевые — это прекрасно, иначе человечество оказалось бы в беде. Ранее мы коснулись того, что кашель возникает по какой-то причине, чтобы мобилизовать выведение содержащих слизь мертвых клеток и вирусов, чтобы не дать им обосноваться и закупорить дыхательные пути. Если бы средства от кашля были эффективны, вирусные инфекции обернулись бы более продолжительными и тяжелыми заболеваниями типа бактериальной пневмонии.

Антигистамины

Проведенный Кохрановским сотрудничеством анализ 35 контролируемых исследований применения антигистаминов для лечения простуды и вирусных инфекций не выявил убедительных доказательств существенного улучшения обычной простуды, а вот седативный эффект, или сонливость, проявился.

> Терапия антигистаминами или комбинацией антигистаминов с противокашлевыми и даже с назальными спреями местного применения могут умеренно улучшить симптоматику у взрослых; однако они не обеспечивают более быстрого восстановления, и очень небольшие преимущества следует сопоставить с возможными побочными эффектами.

Распространенные побочные эффекты — головная боль, расстройство желудка, учащенное сердцебиение, слабость, головокружение, затрудненное мочеиспускание, затрудненное дыхание и даже тревожность. Плюс многие из этих побочных эффектов впоследствии считаются признаками заболевания и не распознаются как индуцированные лекарствами. Более современные антигистаминные препараты без седативного эффекта на кашель не влияют.

Я бы рекомендовал их только в случае, если вы просыпаетесь ночью с дискомфортом и не можете уснуть.

Ибупрофен и аспирин

Вообще в случае простуды и гриппа медикаменты могут несколько ослабить дискомфорт, но не ускорить излечение. На самом деле прием медикаментов для снижения температуры может в действительности продлить заболевание. Высокая температура при вирусном заболевании полезна, а также и при бактериальных инфекциях, поскольку повышает способность лейкоцитов всасывать и убивать вирусы и инфицированные вирусами клетки.

> Жар — положительный признак того, что организм борется с инфекцией. Когда мы подавляем жар лекарствами, это входит в конфликт со способностями нашего организма бороться с заболеванием.

В действительности в исследованиях на животных с ростом температуры измеренная концентрация вируса в крови снижалась. Лечение жаропонижающими также продлевает распространение вируса, то есть мы дольше остаемся заразными. Что самое важное, согласно двойному слепому плацебо-контролируемому исследованию, чем больше мы принимаем таких лекарств, тем хуже нам становится и тем дольше мы болеем. Применение аспирина и ацетаминофена было связано с подавлением отклика на нейтрализацию антител и усилением назальных симптомов.

Конечно, ибупрофен на ночь не помешает, если дискомфорт ограничивает сон, но применять его нужно в весьма умеренных количествах.

Ацетаминофен

Ацетаминофен более ядовит, чем ибупрофен и в любом случае действует не дольше 4–5 часов. Может вызвать нарушения работы печени, даже если принимается в рекомендованных дозах, хотя чаще всего случаи печеночной недостаточности и летального исхода были вызваны передозировкой. Если вы из-за болезни не можете есть, вас рвет, наблюдается обезвоживание, это может существенно повысить риск отравления печени. Это является важной причиной смерти детей, поскольку ацетаминофен настолько обычный ингредиент в средствах от простуды с фруктовым вкусом, и если ребенок сам желает облегчить себе состояние и употребляет избыточное количество средства, он может оказаться в беде.

Значительный риск передозировки ацетаминофена существует для младенцев и детей по причине меняющихся режимов дозирования и различий в составе препаратов с различной силой действия. Множество родителей невольно перекармливают своих детей медикаментами, иногда до смерти, поскольку они не понимают или не следуют рекомендациям по дозировке.

У здоровых взрослых доза даже в 4 г ежедневно может вызвать нарушение функций печени, а меньшие, стандартные, дозы могут вызвать расстройство пищеварительного тракта.

Ацетаминофен, как было показано, также повышает риск тяжелых сердечно-сосудистых патологий: инфарктов, сердечной недостаточности, инсультов. Все пациенты, а в особенности родители, должны знать особенности применения ацетаминофена и связанных с этим серьезных рисков. Не представляется разумным иметь дома лекарство с такой потенциальной токсичностью.

Куриный бульон

Куриный бульон не оказывает практически никакого влияния на течение обычной простуды или других вирусных заболеваний, но употребление горячего бульона в больших количествах может временно облегчить назальные симптомы, но, конечно, не ускорит выздоровление. В действительности длительность заболевания может даже увеличиться через подавление тока мокроты и перемещения лейкоцитов.

Вообще же важный момент относительно питания во время болезни — есть легкую пищу и избегать продукции животного происхождения (как курица), которые требуют больших затрат на переваривание. Другими словами, сделайте вместо куриного овощной бульон.

Увлажненный воздух или ингаляции

Применение увлажнителя или испарителя также почти не оказывает влияния на восстановление после болезни. Исследования показали, что такой метод не влияет на затрудненное дыхание или кашель при крупе или на ослабление симптомов и ускорение выздоровления при обычной простуде.

Употребление большего количества жидкостей или воды

«Пейте больше жидкости!» — этот совет вы неоднократно слышали и вновь услышите от всех — и от врача, и от домашних. Но научно он ничем не обоснован. Конечно, обезвоживание может высушить слизистые, и важно не допустить этого, особенно когда жидкость теряется в результате диареи, рвоты и высокой температуры.

Однако избыточное количество жидкости (избыток по сравнению с количеством, необходимым для восполнения потерь) не имеет значимых преимуществ, и нет доказательств того, что если вы по горло будете напиваться, то это как-то повысит сопротивляемость вирусным инфекциям или увеличит скорость восстановления.

Так что в настоящее время не существует научных доказательств для потребления жидкости при острых респираторных вирусных инфекциях в количествах, превышающих потребные для утоления жажды. Некоторые неэкспериментальные (обсервационные) исследования показывают, что избыточные питье при ОРВИ может навредить.

Жидкость в количестве, превышающем нужное для восполнения потерь организма, может иметь значительные негативные последствия. Ключевой момент здесь — не заставлять наше тело делать работу сверх необходимой.

Увлажнение слизистой носа солевыми растворами

Ежедневное орошение синусов соленой водой может улучшить симптоматику у лиц с хроническими инфекционными синуситами, но анализ всех исследований этого способа применительно к активной вирусной инфекции и обыкновенной простуде не выявил разницы между лечащейся и контрольной группами. Это означает, что, подвергая своего ребенка неприятной процедуре впрыскивания воды в нос, вы не снизите вероятность осложнений и не повысите скорость выздоровления.

Гомеопатические средства

Гомеопатия (или гомеопатическая медицина) появилась в Германии больше 200 лет назад. Главным принципом гомеопатии является «принцип подобия», или «подобное лечится подобным», что подразумевает возможность излечения болезни веществом, которое вызывает те же симптомы, что и сама болезнь или состояние. Затем это «подобное» растворялось в воде до той степени, что в веществе, которое потом давалось как лекарство, «подобного» нельзя было обнаружить. Гомеопатия развивалась на основе теорий, которые не согласуются с принятыми в настоящее время концепциями химии и физики. Также сегодня мы гораздо лучше понимаем эффект плацебо и насколько важны двойные слепые исследования, оценивающие эффективность лечения.

> Гомеопатические средства — это чрезвычайно слабые растворы активных компонентов (как правило, ядовитых натуральных ингредиентов); настолько слабые, что остается всего несколько молекул изначальной субстанции.

Некоторые считают, что целебными свойствами обладает «вибрационная память» о растворенной субстанции. Сегодня слово «гомеопатический» может использоваться как маркетинговый инструмент, чтобы продавать растительные или питательные продукты, которые не имеют ничего общего с традиционными принципами гомеопатии. В магазинах здорового питания слово превращается просто в ничего не значащий маркетинговый термин.

Витамин C

Роль витамина C (аскорбиновой кислоты) в предотвращении и лечении обыкновенной простуды была предметом дискуссий свыше 60 лет, но препарат этот повсеместно продается и в качестве профилактического, и в качестве лечебного средства. Систематический обзор, проведенный Кохрановским содружеством по 30 рандомизированным исследованиям с суммарным числом участников свыше 11 000 (взрослые), приводит к выводу, что профилактический прием витамина C (в день от 200 мг и больше) не эффективен в снижении случаев заболевания инфекциями верхних дыхательных путей для большинства взрослых. Витамин C не снижает вероятность заболевания простудой в целом по выборке, но может иметь определенную ценность для отдельной группы с неадекватным питанием или находящейся в состоянии значительного стресса. Скорее всего, те, кто ест недостаточно сырых фруктов и овощей и, следовательно, имеет заниженные уровни витамина C и других антиоксидантов и иммуномодулирующих фитохимикатов, принимая витамин C, могут получить определенную пользу, особенно находясь в физическом или эмоциональном стрессе, но для тех, кто уже потребляет достаточно витамина C с сырыми фруктами и овощами, прием дополнительных доз преимуществ не даст.

Как только вы заболели, витамин C тоже не поможет. Кохрановский метаанализ многочисленных исследований по этому вопросу продемонстрировал отсутствие пользы по сравнению с плацебо-группой при приеме витамина C с начала проявления симптомов. Не было преимуществ ни в количестве дней больничного, ни в тяжести протекания симптомов.

Но есть и данные, которые позволяют предположить, что те, кто питается неправильно и принимает витамин C постоянно с профилактическими целями, могут получить определенную пользу. Мое мнение на этот счет простое — придерживайтесь диеты, богатой витамином С и другими полезными питательными веществами, и не тратьте деньги на витамин С в аптеке. Некоторые БАД, содержащие витамины и травы, на рынке продвигаются как средства от простуды. Последовали судебные иски против недобросовестной рекламы, поскольку были сделаны заявления без реальных данных, подтверждающих эффективность средств.

> Берегите свое здоровье, будьте неуязвимы перед болезнями — и вам не придется искать магию, если простудитесь.

Эхинацея

Польза эхинацеи, которую принимают и взрослые и дети, изучалась в значительном числе исследований, но доказательств ее наличия для ослабления симптомов простуды или укорочения продолжительности болезни так обнаружено и не было. Есть некоторые основания полагать, что в некоторых исследованиях эхинацея принесла существенную пользу для уменьшения количества вирусных инфекций, когда принималась постоянно всю зиму, но этот результат не соотносился ни с одним более обширным и качественным исследованием. Так что потенциальная польза может быть гораздо ниже, чем сообщается.

Конечно, эхинацея — не главное в улучшении иммунитета для борьбы с инфекциями, но может использоваться в профилактических целях в течение всего зимнего периода и «гриппозного» сезона.

Аналогично другие травы, которые часто рекомендуются для лечения вирусных инфекций, такие как **андрографис, женьшень, астрагал, желтокорень, можжевельник и пеларгония** также могут оказывать легкий иммуностимулирующий эффект или легкий антигистаминный эффект для облегчения симптомов. Однако ограниченные данные не позволяют предполагать серьезное сокращение процесса заболевания или резистентность к инфекциям. Большинство натуральных и народных средств не тестировались в строгих контролируемых исследованиях, а для средств, подвергавшихся тестированию, исследования часто дают неоднозначные результаты.

Будьте осторожны и, пожалуйста, не злоупотребляйте ничем из перечисленного выше.

Чеснок

Чеснок — широко распространенный продукт питания и народное средство профилактики и лечения простуд. Однако свидетельств на основе клинических исследований, доказывающих эффективность чеснока для профилактики или лечения простуды, все еще недостаточно. Единичное исследование позволяет предположить, что чеснок может предотвратить случаи обычной простуды, но требуется больше данных для подтверждения этого тезиса. Другие исследования не удостоверили эффективность чеснока в качестве лечебного средства при простудах, и заявления об эффективности, по-видимому, основываются большей частью на недостоверных свидетельствах.

Тем не менее чеснок и лук — повышающие иммунитет продукты. Вероятно, они не способны повысить ваш иммунитет настолько быстро, чтобы вы заметили разницу, если уже заболели, но регулярное употребление в пищу семейства этих продуктов — один из компонентов супериммунитета.

Мой совет — продолжайте есть лук и чеснок в течение всего года и на протяжении любой болезни.

Ресвератрол

Фитохимический компонент ресвератрол, обнаруженный в кожице красного винограда, ягод, арахиса, по-видимому, способен подавлять воспаление и может бороться со старением, однако продолжительные клинические исследования пока не подтвердили пользы ресвератрола для человека.

Ресвератрол — популярный растительный экстракт, который продляет жизнь и замедляет старение у червей, плодовых мушек и дрожжей. Исследование на грызунах продемонстрировало антираковую активность. Также продемонстрирован антипролиферативный эффект на раковые клетки человека, а в контролируемых исследованиях на людях было выявлено снижение маркеров воспалений после насыщенной жирами пищи. Хотя это и другие исследования выглядят обнадеживающими по части потенциальной пользы ресвератрола для замедления старения человека, достоверно мы не знаем, будет ли концентрированный экстракт ресвератрола, принимаемый в виде добавки, полезным в той же степени, в какой он полезен, судя по данным исследований, на насекомых и животных. Тем не менее данные, полученные к настоящему моменту, обнадеживают.

Также ресвератрол обладает широким антивирусным действием. Даже при не очень высоком качестве контролируемые клинические исследования на людях и исследования на грызунах тем не менее впечатляют. Исследования показывают, что ресвератрол подавляет репликацию вируса простого герпеса 1-го и 2-го типов путем ингибирования на начальных стадиях цикла репликации. Исследования на мышах также показывают, что ресвератрол подавляет или уменьшает репликацию ВПГ в вагине и ингибирует вирусы ветряной оспы, гриппа и даже усиливает противовичевую активность некоторых препаратов.

Мои рекомендации здесь осторожны, но обнадеживающи. Поскольку ресвератрол и родственные ему компоненты обладают таким потенциалом полезных эффектов и защищают и борются с раком под такими разными углами, от ингибирования ангиогенеза до предотвращения образования опухоли путем деактивации канцерогенов, я считаю вероятным то, что применение ресвератрола в качестве добавки окажется полезным и может оказаться важным вспомогательным средством, которое будет применяться не только в профилактических целях, но и теми пациентами, у которых рак уже диагностирован. Регулярное употребление цветных фруктов и ягод обеспечит нас этим компонентом. Если человек восприимчив к инфекциям или имеет нарушения в работе иммунной системы, ему стоит подумать о регулярном приеме ресвератрола в виде добавки.

Цинк

Цинк — необходимый минерал, который играет важную роль в функционировании иммунной системы, и дефицит цинка ослабляет резистентность к инфекциям. Зачастую у множества людей цинк наличествует в количестве, соответствующем нижней границе нормы.

> Рекомендуемая ежедневная доза потребления для цинка составляет 15 мг в сутки, что обычно не достигается теми, кто не принимает специальных препаратов или продуктов с содержанием цинка, а особенно теми, кто придерживается веганской, вегетарианской или флекситарианской[1] диеты, не употребляя ежедневно морепродукты и мясо.

Цинк является структурным компонентом многих ферментов, дефицит цинка ведет к дисфункции и гуморально-опосредованного, и клеточно-опосредованного иммунитета и повышает восприимчивость к инфекциям. Есть существенные основания полагать, что регулярное употребление добавок цинка или по крайней мере осознание того, что потребление богатой цинком пищи полезно, улучшает иммунную функцию и помогает побороть и инфекции, и рак.

Исследования постоянно подтверждают, что дефицит цинка связан с возрастанием количества случаев и тяжести инфициро-

---

[1] Флекситарианство — преимущественно растительная диета, допускающая случайные приемы в пищу плоти животных. Флекситарианцы стремятся как можно меньше потреблять мясо, однако полностью его не исключают из своего рациона.

вания и что прием цинка в виде добавок полезен для здоровья.

♦ Прием цинка в виде добавок снижает риск возникновения пневмонии.

♦ Цинк в виде добавок снижает продолжительность простуды и гриппа на день и больше.

♦ Употребление добавок цинка матерью снижает случаи инфекций у младенцев.

♦ Два исследования продемонстрировали, что употребление цинка снижает детскую смертность более чем на 50%.

Самый полный и наиболее убедительный анализ этого вопроса (авторитетный метаанализ Кохрановского сотрудничества) приводит к выводу, что, если у человека простуда или грипп, добавки цинка существенно снижают тяжесть симптомов простуды, а также длительность заболевания.

Среди лиц, принимавших цинк в течение 24 часов с момента проявления симптомов, риск иметь симптомы к седьмому дню заболевания был вполовину меньше, чем для тех, кто цинк не принимал.

Обзор выявил, что цинк не только уменьшал продолжительность и тяжесть симптомов обычной простуды, но и то, что регулярный прием цинка также предотвращал простуды, уменьшая количество пропущенных учебных дней и снижая применимость антибиотиков у детей. Если цинк для профилактики простуд принимался минимум 5 месяцев, то опасность подхватить простуду снижалась до ⅔ от таковой для контрольной группы, которая добавок не принимала.

> Следует учесть то, что прием цинка в форме добавок в течение всего года или только во время болезни, по всей видимости, не будет эффективным для тех, у кого запасы цинка уже сформированы.

В целом кажется здравым избегать дефицита цинка, хотя применение добавок цинка у здоровых, сбалансированно питающихся лиц поменяет немногое. Но тем, кто придерживается вегетарианской диеты, которая не идеально сбалансирована по части употребления семян и бобов, и тем, кто на низкокалорийной диете, следует рассмотреть возможность регулярного приема цинка в виде добавок (если только он отсутствует в мультивитаминах, которые вы, возможно, употребляете).

ПРОДУКТЫ, БОГАТЫЕ ЦИНКОМ	
Устрицы (3 среднего размера)	13 мг
Камчатский краб, 1 клешня, приготовленная	10,2 мг
Говядина, вырезка, 120 г	5,6 мг
Кунжут, сырые нелущеные семена, 60 г	4,4 мг
Тыквенные семечки, сырые или жареные, 60 г	4,2 мг
Фасоль лучистая, 1 чашка	4,1 мг
Кедровые орешки, сырые, 60 г	3,6 мг
Кешью, сырые, 60 г	3,2 мг
Семена подсолнечника, сырые, 60 г	2,8 мг
Цицания водная, 1 чашка	2,2 мг
Зеленые соевые бобы, 1 чашка, приготовленные, очищенные	2,1 мг
Черные бобы, фасоль, 1 чашка, приготовленные	1,9 мг
Грибы шиитаке, 1 чашка, приготовленные, кусочки	1,9 мг
Стручковая фасоль, 1 чашка, приготовленная	1,7 мг
Брокколи, приготовленная, 2 чашки	1,6 мг
Тахини, сырая, 2 ст. л.	1,4 мг
Кале, приготовленная, 2 чашки	1,2 мг

Витамин D

Витамин D уникален, поскольку больше походит на гормон, чем на витамин, и с пищей его заполучить непросто. Поэтому его называют солнечным витамином. На протяжении столетий отмечали и подозревали, что уменьшение освещенности в зимний период времени может быть фактором, способствующим сезонному росту числа инфекций, включая грипп зимой. В исследовании, проведенном в 2006 г., детям давали витамин D и затем подвергали воздействию вируса гриппа; было отмечено уменьшение числа ОРВИ в зимнее время. Это дает основания считать, что присутствие витамина D в достаточном количестве может снизить инфицирование вирусами через свою способность регулировать иммунную систему, увеличивая эффективность макрофагов, нейтрофилов, моноцитов и естественных клеток-киллеров. Эти результаты подтверждаются другими исследованиями, которые показывают рост риска тяжелых ОРЗ у людей с низким уровнем витамина D. И дефицит витамина D связывается с ростом риска гриппа. Очевидно, следует избегать дефицита витамина D и поддерживать адекватные его уровни круглый год; такой подход является важной составляющей достижения супериммунитета.

Экстракт бузины

Сок черной бузины широко применяется для лечения простуды и гриппа. Исследованиями предполагается, что ежедневный прием экстракта черной бузины (2–3 ст. л. взрослым и 1–4 ч. л. детям, в зависимости от возраста) может замедлить рост вирусов гриппа в изолированных условиях и укоротить продолжительность симптомов, в то же время повышая уровень антигенов для борьбы с вирусами. Даже с учетом того, что исследование предварительное, свидетельства позволяют предположить, что эти ягоды обладают полезными свойствами по усилению защитных сил организма в борьбе с вирусными инфекциями, и в частности с гриппом.

Главные флавоноиды черной бузины — это антоцианины; цианидин-3-глюкозид и цианидин-3-самбубиозид, которые, как было обнаружено, повышают защитную функцию моноцитов в борьбе с инфицированными вирусом клетками, но, что более интересно, было продемонстрировано, что черная бузина замедляет адгезию вируса к рецепторам клетки. Когда подавляется способность вируса проникнуть в клетку, он не может реплицировать себя, и это может ослабить серьезность инфицирования.

Антоцианины по цвету красные, пурпурные, черные или синие и обнаруживаются в ягодах, в кожице баклажана, в кожице смородины и винограда, вишни и черного риса. Это вещество, которое отвечает за терапевтические возможности вишневого сока, который полезен при воспалительных заболеваниях по той же причине. Маленькая голубовато-черная бузина — не сладкая и не вкусна, но если вы приготовите концентрат в виде жидкого сиропа или сока, вы получите цветные пигменты в высокой концентрации, поскольку абсорбция их более существенна, чем регулярное поедание ягод. Вот одно из нескольких средств, которые не вредны и которые, вероятно, обладают определенной эффективностью, не будучи токсичными.

ДАВАЙТЕ ПОДЫТОЖИМ:
ЧТО ДЕЛАТЬ, ЕСЛИ ЗАБОЛЕЛИ

Ключевое здесь — добавки в виде сушеных толченых фруктов и овощей, мультивитамины и другие средства, даже чеснок и витамин C или E могут быть в какой-то мере полезными тем, у кого наблюдается дефицит или пограничные с дефицитом запасы антиоксидантов и фитохимикатов, но наилучший и самый действенный способ предотвратить заболевания — поддерживать полноценную питательную достаточность весь год, с учетом рекомендаций по питанию и добавок, содержащихся в этой книге, а не просто искать определенные средства от простуды.

Почти в каждой семье есть свои любимые методы и рекомендации. От куриного бульона, ношения зубчиков чеснока вокруг шеи, надевания теплой шапки — ваша мама узнала эти способы повышения иммунитета от своей мамы. К сожалению, куриный бульон, испарители, горячий чай с медом и натирка груди пахучими мазями не получили научных подтверждений своей эффективности и на самом-то деле чаще всего в исследованиях оказывались разоблаченными как неэффективные.

Будучи пристально изучаемыми посредством высококачественных плацебо-контролируемых исследований, почти все народные средства оказались неэффективными, если только человек не имел дефицита питательных веществ до того, как начал принимать добавки необходимых микронутриентов. Например, гранат — суперпродукт, который формирует более сильную иммунную функцию, и продолжительное употребление его и других питательных суперпродуктов может снизить число инфицирований, но их не следует рассматривать как лекарство от простуды, а лишь как продукт с высоким содержанием питательных веществ, который поддерживает нормальное функционирование иммунной системы, повышая иммунитет.

Даже витамин D, бузина и цинк, с подтвержденной эффективностью, по всей видимости, ценны только людям, чей уровень питательных веществ ниже нормы. Так что цель — достичь необходимого уровня запасов питательных веществ и забыть об идее диетических лекарственных средств во время болезни. Принимайте цинк по 15 мг ежедневно, увеличьте дозу до 30 мг при возникновении симптомов простуды. Пробиотики и сироп бузины, вероятно, стоят того, чтобы попробовать пользоваться ими во время болезни, и дайте мне знать, если вы думаете, что это работает.

ВЕРОЯТНАЯ ПОТЕРЯ ВАШЕГО ВРЕМЕНИ	ВЕРОЯТНО, СРАБОТАЕТ
Витамин С	Цинк
Куриный бульон	Витамин D
Увлажненный воздух	Флавоноиды бузины и других ягод
Промывание носа соленой водой	Ограничение калорий
Эхинацея	

При болезни стоит иметь в виду следующее:

1. Зеленоватый или желтый цвет мокроты не означает, что ваша инфекция — бактериального происхождения.
2. Отхаркивающие и противокашлевые таблетки не работают и не облегчат ваше выздоровление.
3. Витамин C и обильное питье бесполезны.
4. Увлажнители воздуха или пар также неэффективны.
5. Холодных ванн для снижения жара следует избегать, они не снижают температуру на сколь-нибудь длительное время, а сама по себе высокая температура повышает эффективность иммунной атаки.
6. Не употребляйте ацетаминофен и другие жаропонижающие. Если слишком дискомфортно спать ночью, пользуйтесь ибупрофеном с небольшим количеством еды.
7. Если болезнь протекает тяжело, понаблюдайте, нет ли у вас симптомов, указывающих на необходимость медицинской помощи.
8. Ограничьте потребление еды и главным образом питайтесь овощными соками, овощными супами, водой и салатами из сырых овощей.

Вот теперь, когда мы знаем, что при простуде и гриппе работает, а что нет, давайте вернемся к нашей диете и найдем самые полезные жиры, углеводы и белки. То, что вы обнаружите, может вас удивить.

Глава 5

ПОЛЕЗНЫЕ БЕЛКИ, ЖИРЫ И УГЛЕВОДЫ

Наиболее согласованная и обоснованная концепция за всю историю диетологии заключается в том, что высокое потребление питательных веществ в сочетании с пониженным потреблением калорий способствует долголетию и сопротивляемости заболеваниям. Это утверждение лежит в основе моего **«уравнения здоровья»: Здоровье = Питательные вещества / Калории.** Означает это то, что здоровье ваше будет улучшаться, когда богатая питательными веществами еда станет основным источником калорий в вашем рационе (продукты с высокой питательной плотностью), а продуктов с меньшим коэффициентом питательной плотности (меньше питательных веществ на порцию) в рационе станет меньше. Поэтому избегайте низкопитательных продуктов типа белой муки и бакалеи. Белая мука, другие обработанные зерновые — сладкие быстрые завтраки, безалкогольные напитки, другие сладости и даже фруктовые соки способствуют набору веса и не только ведут к диабету, но также поднимают уровни триглицеридов и холестерина, увеличивая риск инфарктов. Но главное здесь в том, что продукты, бедные питательными веществами, подавляют функции иммунной системы, увеличивая риск инфекций и рака. Невероятно, но к 2010 г. на долю бакалеи приходилось 62% калорий в типичной современной европейской диете. Потребление калорий при отсутствии антиоксидантов, витаминов и фитохимикатов приводит к накапливанию продуктов жизнедеятельности в клетках. Так, когда мы едим белый хлеб или другую бакалею, без достаточного количества антиоксидантов и питательных веществ растительного происхождения, организм утрачивает способность удалять обычные отходы, которые в результате начинают скапливаться. Когда нашим клеткам не хватает сырья для нормального функционирования, это нас преждевременно старит и вызывает заболевания.

Три вида макронутриентов — жиры, углеводы и белки — обеспечивают нас калориями; да, определенно в наши дни люди потребляют слишком много калорий, но никакой пользы для здоровья в том, чтобы придерживаться диеты, чрезвычайно обедненной жирами, нет. Я намеренно не даю определенные проценты по каждому макронутриенту, и я не рекомендую избегать жиров. Попытка с прецизионной точностью высчитывать количество калорий каждого кусочка еды уводит внимание от наиважнейшего аспекта человеческого питания.

Самый главный аспект в питании человека — удовлетворить потребность в макронутриентах, не потребляя избыточного количества калорий и получая достаточное количество микронутриентов в процессе питания (витамины, минералы и фитохимикаты — те компоненты пищи, которые калорий не содержат). Сочетание макронутриентов может быть каким угодно при условии, что нет переедания по калориям и доля жира в организме нормальная. Но приверженность диете, на жиры в которой приходится **меньше** десятой доли калорий, не рекомендуется, и чаще приводит к негативным последствиям. Здоровой может быть диета, где на долю жиров приходится 15% калорий, и 30% калорий, приходящихся на жиры, тоже хорошо. Если диета богата микронутриентами и не превышает наши потребности в калорийности, низкожировая диета не является преимуществом в предотвращении и лечении заболеваний.

Нет доказательств того, что диета той же калорийности, но с меньшей долей жиров дает какие-то преимущества в профилактике или лечении заболеваний сердца или каких-либо других. Исследования, сравнивающие диеты с разной долей жиров, позволяют предположить, что дело не в этом, а в других, гораздо более важных, качествах, которые и делают диету более или менее полезной.

Доля жиров в диете не определяет ее качества, а вот количество цветных овощей — определяет. Для достижения идеального уровня фитонутриентов и других микронутриентов необходимо ежедневно есть в больших количествах зеленые овощи. Вообще говоря, вы можете оценивать питательное качество диеты по проценту цветных овощей, которые в ней предлагаются. Когда вы едите много овощей, особенно зеленых, вы удовлетворяете потребности вашего организма в клетчатке и микронутриентах очень малым количеством калорий.

> Составляя диету с учетом наших потребностей в калориях, мы можем выбрать ряд продуктов, при этом предпочтительно включать прочие продукты с достаточным содержанием микронутриентов.

Так что, когда вы едите больше зелени и других цветных овощей, фруктов, бобов, орехов и семян, вы естественным образом употребляете меньше остальных продуктов, с меньшей питательной плотностью; то есть меньше продуктов животного происхождения, бакалеи, масла, белого хлеба, картошки и риса.

НЕ ВСЕ УГЛЕВОДЫ ОДИНАКОВЫ

Разумеется, большинство из нас понимают, что голубика узколистная, клубника или соцветие цветной капусты — это богатый питательными веществами источник углеводов, особенно по сравнению с шоколадным батончиком или куском белого хлеба. Натуральные полезные углеводные продукты содержат не только больше микронутриентов; в них есть и клетчатка, и резистентный крахмал, благодаря чему гликемический индекс таких продуктов (перевод в сахар) и калорийность остаются низкими. Резистентный крахмал аналогичен клетчатке, поскольку он резистентен к перевариванию и не расщепляется до глюкозы или других простых сахаров. Этот крахмал также важен, поскольку действует как пребиотик, который способствует росту полезных бактерий в пищеварительном тракте, а эти бактерии расщепляют такой крахмал в полезные вещества, улучшающие функционирование иммунной системы и уменьшающие риск рака.

Так что полезные крахмалы — богатые клетчаткой натуральные продукты. Обычно в них мало легко поглощаемых калорий, и на единицу калории они дают нам больше микронутриентов; крахмал — это не только впрыскивание глюкозы в нашу систему.

ГЛИКЕМИЧЕСКИЙ ИНДЕКС (ГИ) И ГЛИКЕМИЧЕСКАЯ НАГРУЗКА (ГН) РАСПРОСТРАНЕННЫХ РАСТИТЕЛЬНЫХ ПРОДУКТОВ		
Продукт	ГИ	ГН
Черные бобы	30	7
Красная фасоль	25	8
Чечевица	30	5
Лущеный горох	25	6
Вигна[1] китайская	30	13
Кукуруза	52	9
Ячмень	35	16
Коричневый рис	75	18
Просо	71	25
Овес	55	13
Белый рис	83	23
Цельнозерновая пшеница	70	14
Белая паста	55	23
Сладкий картофель	61	17
Белый картофель (в среднем)	90	26

[1] В и г н а — род травянистых цветковых растений семейства бобовые.

Продукты	% РК	% Клетчатка	% Рк+клетчатка	Питательная плотность в баллах по шкале доктора Фурмана
РЕЗИСТЕНТНЫЙ КРАХМАЛ И КЛЕТЧАТКА В РАСПРОСТРАНЕННЫХ РАСТИТЕЛЬНЫХ ПРОДУКТАХ *РК – резистентный крахмал (% в граммах на 100 г сухого вещества)*				
Черные бобы	26,9	42,6	69,5	10
Белая фасоль	28,0	41,1	69,1	11
Фасоль обыкновенная	25,9	36,2	62,1	8
Красная фасоль	24,6	36,8	61,4	11
Чечевица	25,4	33,1	58,5	14
Лущеный горох	24,5	33,1	57,6	7
Вигна китайская	17,7	32,6	50,3	8
Кукуруза	25,2	19,6	44,7	4
Ячмень	18,2	17,0	35,2	3
Коричневый рис	14,8	5,1	20,5	3
Просо	12,6	5,4	18,0	2
Овес	7,2	10,0	17,2	2
Белый рис	14,1	1,5	15,6	1
Цельнозерновая пшеница	1,7	12,1	13,8	2
Белая паста	3,3	5,6	8,9	1
Сладкий картофель	-	3,0	-	9
Белый картофель	7,0	2,0	9,0	2

Гликемический индекс оценивает отклик глюкозы организма в фиксированном количестве углеводов в конкретном продукте по 100-балльной шкале. Гликемическая нагрузка — аналогичная классификация, но считается более показательной, поскольку учитывает углеводную компоненту порции определенного размера конкретного продукта, а не просто фиксированное значение в граммах углеводов.

Диета, содержащая в больших количествах продукты с высокой гликемической нагрузкой, связывается с риском развития диабета, сердечных заболеваний, различными онкозаболеваниями и общими хроническими заболеваниями.

Это означает, что диета, богатая плюшками, сухими завтраками, макаронами, белым картофелем и сладостями, не только толстит, но и способствует раку. Нет, конечно, вы можете есть продукты с высоким ГИ, просто в вашей диете их должно быть строго ограниченное количество, а большинство углеводов вам должны поступать с продуктами с низкой гликемической нагрузкой — бобами, овощами, ягодами.

Есть определенная иерархия в богатых углеводами растительных продуктах по степени питательной ценности. Бобовые, крахмалистые овощи, цельные зерна и другие более питательные, натуральные продукты, которые я рекомендую больше всего, не только из-за ГИ, но потому, что они богаче микронутриентами, клетчаткой и резистентным крахмалом. Любопытно, что плотность микронутриентов богатых углеводами растительных продуктов соответствует содержанию в них клетчатки и резистентного крахмала.

Независимо от относительной ценности этих натуральных продуктов все становится гораздо хуже, когда углеводы подвергаются обработке. Прекрасный пример тому — быстрые завтраки, которые состоят из мелкоразмолотой муки и сока в качестве подсластителя. В этом случае мы получаем продукт с высоким гликемическим индексом и без существенного содержания микронутриентов.

Приемлемые углеводы

Бобы, горох, кукуруза, цицания водная[1], ячмень, рубленый овес, овсяные хлопья, помидоры, тыква, ягоды и свежие фрукты — примеры наиболее полезных источников углеводов. Бобы, зеленый горошек, ягоды и помидоры — на первых местах в списке. Тыква, цельное зерно (рубленый овес), цицания водная, киноа[2], ядро пшеничного зерна и даже сладкий картофель лучше белого картофеля, который этот список замыкает.

Неприемлемые углеводы

♦ Подсластители, сахар, мед, кленовый сироп.

♦ Белая мука.

♦ Белый рис.

♦ Цельнозерновая мука.

♦ Фасованные зерновые хлопья.

♦ Промышленно изготовленные фруктовые соки или сокосодержащие сладкие напитки.

Помните, бакалея — с высоким гликемическим индексом, скудная по содержанию питательных элементов — не только толстит, а еще и подавляет иммунную систему и повышает риск рака.

Большинство из нас не подозревает, что поедание круассанов, белого хлеба, рогаликов, пасты, плюшек, тортов и всего прочего из белой муки способствует развитию рака груди и связано со многими другими типами рака.

Хорошее правило — избегать всего «белого»! Сахара, белой муки, белых макарон, белого картофеля, белого риса. Запомните стишок: «Чем белее хлеб жуешь, тем скорее ты помрешь».

---

[1] Ц и ц а н и я — водяной рис, род травянистых растений семейства злаки.
[2] К и н о а — зерновая культура, однолетнее растение, вид рода марь семейства маревые, произрастающее на склонах Анд в Южной Америке.

Помимо качеств углеводов, которые вы поместили в свой рацион, следует озаботиться качеством жиров и белков. Другими словами, посмотрите, какие еще полезные питательные вещества оказались «сбоку припеку» вместе с жирами и белками. На здоровье влияет качество жиров, белков и углеводов, которые вы едите. Спросите себя: «Пища, которую я собираюсь съесть, цельный натуральный растительный источник калорий? Есть ли в ней клетчатка, антиоксиданты и фитохимикаты? Содержит ли она не только уже известные питательные вещества, но и множество неизвестных?» Ответ на эти вопросы вам даст степень обработки продуктов. Большинство этих неустойчивых, но полезных питательных веществ теряются при том способе приготовления продукта, которому он подвергся? Так что важных вопросов много, а не только «что лучше — мало жира или много жира?».

ОРЕХИ И СЕМЕЧКИ ДУРНОЙ СЛАВЫ НЕ ЗАСЛУЖИВАЮТ

Орехи, семена и авокадо — богатые жиром продукты, хотя на основе исследований получено много доказательств, что употребление в пищу этих продуктов весьма полезно. Важно подчеркнуть, что проблемы со здоровьем, связанные с богатой жирами диетой, вызваны потреблением животных жиров, рафинированных масел и трансжиров, а сырые орехи и семечки тут ни при чем. Нет ни одного исследования, которое показывало бы, что употребление в пищу натуральных богатых жирами растительных продуктов наносит какой-то урон здоровью. На самом деле все исследования демонстрируют положительное влияние на здоровье и приводят к выводу, что употребление этих продуктов должно стать важной частью хорошо сбалансированного рациона.

В среднем калорийность орехов и семечек составляет около 175 калорий на унцию (30 г), и 1–2 унции в день обеспечат 15–30% калорий суточного рациона жиров. Также семена и орехи повышают содержание растительного белка в диете. Другими словами, по мере того как вы едите меньше животных жиров и замещаете их большим количеством растительного белка — орехами, семенами, бобами и зеленью, — уровень питательных веществ в вашем организме взмывает до небес, а здоровье улучшается.

Дефицит жиров может способствовать ухудшению здоровья

Многие люди под влиянием избыточно настойчивых рекомендаций о чрезвычайной необходимости диеты, бедной жирами, наносят своему здоровью вред; следуя этим рекомендациям, они не становятся успешными вегетарианцами или флекситарианцами. Зачастую эти люди так и не понимают, в чем же состоит проблема. Они нередко вновь вводят в рацион большое количество продуктов животноводства, не сделав для себя открытия, что проблемы со здоровьем у них были из-за того, что своей низкожировой диетой заработали дефицит жиров.

Вот некоторые признаки дефицита жиров: сухая кожа, истонченные волосы, мышечные судороги, плохой сон, повышенный уровень триглицеридов и низкая переносимость физических нагрузок. Для большинства проблема решается введением в рацион большего количества полезных жиров, употреблением ДГК и снижением количества бакалеи и крахмалистых углеводов.

ДГК — это длинноцепочечная Омега-3 жирная кислота, в которой преимущественно и содержится вся польза рыбьего жира. Некоторым просто надо больше незаменимых жирных кислот — Омега-3 и Омега-6.

Недостаток жиров в диете также может нарушить абсорбцию жирорастворимых витаминов и полезных фитохимикатов. Когда вы едите орехи и семена вместе с основной пищей, поступающие жирные кислоты существенно повышают абсорбцию поддерживающих иммунную систему микронутриентов и фитохимикатов. Например, если в основе салатной заправки — орехи и семена, то вы поглощаете намного больше каротиноидов из свежих овощей. Определенные питательные вещества всасываются в 10 раз лучше.

Исследование уровня альфа-каротина, бета-каротина и ликопена в крови выявило, что после употребления салата с заправкой, не содержащей жиров, уровни этих веществ практически не повышались, а если заправка содержала жиры, уровень этих веществ повышался значительно.

Накопились свидетельства, подтверждающие, что если в диете на жиры приходится меньше 10% калорий, это слишком мало — даже для страдающих ожирением, диабетиков или сердечников. Разумное употребление этих богатых жирами продуктов полезно не только при заболеваниях сердца, но и для потери веса и для диабетиков.

Научная литература подкрепляет мой клинический опыт ведения тысяч пациентов с ожирением, диабетом и заболеваниями сердца за последние 15 лет и дает доказательства того, что каждая калория, исключенная диетой из риса, картошки, хлеба или продуктов животного происхождения и замещенная сырыми семенами и орехами, дает вам множество преимуществ:

♦ Снижение сахара в крови

♦ Снижение холестерола

♦ Снижение триглицеридов

♦ Лучшее соотношение ЛПНП/ЛПВП

♦ Улучшенная антиоксидантная активность

♦ Лучшее поглощение фитохимикатов из овощей

♦ Лучший контроль над диабетом

♦ Снижение веса

♦ Более эффективное восстановление после заболеваний сердца

♦ Предотвращение аритмии у пациентов-сердечников

♦ Бо́льшая потеря массы тела

♦ Бо́льшее разнообразие и достаточность питательных веществ при меньших калориях

♦ Повышенная защита от рака

♦ Лучше мышечная и костная масса по мере старения

Сырые орехи и семена содержат огромное количество питательных веществ: лигнаны, биофлавоноиды, минералы и другие антиоксиданты, благодаря которым относительно недолговечные жиры в них остаются свежими; есть в них и растительные белки, и растительные стерины, которые естественным образом снижают холестерин. Эллаговые танины — это пищевые полифенолы, которые обладают антиоксидантным и хемопревентивным эффектом, обнаруживаются в ягодах, орехах и семенах и лучше всего абсорбируются из грецких орехов.

С ростом потребления орехов смертность от всех болезней снижается, а продолжительность жизни возрастает; это справедливо для всей популяции, любого пола и возраста. Самое важное, что эти мощные оздоравливающие свойства действуют только тогда, когда цельные сырые орехи и семена являются источником калорий, а не масла.

Что не так с оливковым маслом?

Ни одно масло не может рассматриваться как полезный продукт. Все масла, включая оливковое, это 100%-ный жир и содержат 120 калорий на 1 чайную ложку. В масле калорий много, питательных веществ мало, клетчатки нет совсем. Добавьте несколько чайных ложек масла в салат или овощное блюдо — и вы получите сотни бесполезных калорий. Проще говоря, масло — это прекрасный способ прибавить вам нежелательных и вредных для здоровья килограммов.

> Так как в масле не осталось связывающей жир клетчатки, все калории быстро всасываются и откладываются в виде жира за считаные минуты.

Когда же вместо масла вы едите орехи и семена, вы получаете жиры, связанные со стеринами, стенолами и другой растительной клетчаткой. Это связывает жиры в пищеварительном тракте, ограничивает их абсорбцию и даже притягивает некоторые вредные жиры, циркулирующие в крови, в пищеварительный тракт для последующего выведения со стулом.

То есть жиры, получаемые из орехов и семян, не полностью биологически доступны. Это означает, что существенная доля калорий не абсорбируется и поэтому не ведет к ожирению, как произошло бы с эквивалентным количеством калорий в случае получения их из масла; также в них есть множество защитных питательных веществ, которых в маслах нет.

Масло — продукт, прошедший технологическую обработку. Когда вы химически выделяете масло из цельного продукта (оливок или разных масел из семян), вы оставляете подавляющее большинство питательных веществ и получаете фрагменты продукта, в которых вряд ли есть что-то, кроме калорий. Когда вы потребляете цельный продукт — грецкие орехи, кунжут, семена льна вместо масел, экстрагированных из них, вы получаете всю клетчатку, флавоноиды и питательные вещества, которые в них есть, и всю ту пользу, которую они могут принести.

Продукты, богатые мононенасыщенными жирами, такие как оливковое масло, менее вредны, чем продукты с высоким содержанием насыщенных жиров или трансжиров. Но «менее вредные» не означает «полезные». Благотворное воздействие средиземноморского рациона питания состоит не в потреблении оливкового масла, а в пище, богатой антиоксидантами, — овощах, фруктах и бобовых. Употребление большого количества любого масла означает просто поглощение большого количества пустых калорий, что ведет к избыточному весу и, как следствие, диабету, повышенному кровяному давлению, инсультам, заболеваниям сердца и различным формам рака.

Вы можете добавить в свой рацион капельку оливкового масла, если достаточно стройны и много занимаетесь физкультурой. Но чем больше масла вы едите, тем сильнее вы снижаете питательную плотность своей диеты (содержание полезных микронутриентов в 1 калории), а это не то, к чему вы стремитесь, поскольку не способствует укреплению здоровья.

В отличие от потребления масла эпидемиологические исследования по орехам показывают обратную зависимость между частотой их потребления и весом. Даже при том, что орехи и семена — пища калорийная, употребление их может снизить аппетит и помочь людям избавиться от диабета и лишнего веса. Другими словами, люди, употребляющие меньше орехов и семян, с большей вероятностью наберут больше веса.

Результаты хорошо контролируемых исследований, целью которых было выяснить, влияет ли употребление орехов и семян на набор веса, оказались противоположными ожидаемым: поедание сырых орехов и семян способствует снижению веса, а не его повышению. Несколько исследований показали также, что немного орехов или семян помогает почувствовать себя сытым, придерживаться выбранного рациона питания и с большим успехом выполнить долгосрочную программу снижения веса. Надо ли нам жаловаться, если мы сидим перед телевизором и съедаем по огромному пакету орехов каждый час, а потом обнаруживаем, что потолстели? Нет, конечно! Правильный подход — избегать лишних калорий и не есть ради расслабления.

Орехов и семян ешьте не больше 30 г в день, если вы страдаете от лишнего веса; если же вы стройны и физически активны, беременны или кормите грудью, ешьте по 60–120 г в соответствии с вашими личными потребностями в калориях.

И еще, когда вы едите богатые жирами орехи и семена вместе с основной пищей, это усиливает поглощение полезных фитохимикатов, так что лучше орехи с семечками есть совместно с овощами и особенно в салатных заправках. Орехи и семена лучше есть сырыми или слегка обжаренными.

В обжаренных до коричневого цвета орехах и семенах образуются канцерогенные акриламиды, вы теряете в белках и получаете больше золы в процессе обжарки. Чем дольше готовить, тем больше аминокислот разрушается. Также при обжарке окажутся снижены уровни кальция, железа, селена и других минералов.

БЕЛКИ ЖИВОТНЫЕ
И БЕЛКИ РАСТИТЕЛЬНЫЕ

Нашему обществу промыли мозги ложной информацией, и оно ушло в белковый запой. Образовательные материалы в большинстве школ на протяжении почти 70 лет «бесплатно» обеспечиваются мясной, молочной и птицеводческой промышленностью. Совет по мясомолочному и животноводческому производству успешно лоббируется и оказывает влияние на правительство, что приводит к благоприятствующим законам, субсидиям и пропаганде в рекламе, которая скармливается каждому ребенку. Они продавали ошибочную идею о том, что для полноценного питания нам нужно мясо, молочные продукты и яйца. Мы были запрограммированы этой ложной и опасной информацией.

Практически все жители Америки и Европы получают ежедневно больше белка, чем нужно. Средний американец в сутки потребляет около 100 г белка, что почти в два раза больше, чем рекомендовано. Еще слишком многие из нас, включая атлетов, любителей фитнеса, бодибилдеров, людей, сидящих на диете и ожиревших, обращаются к порошковым белкам, напиткам и питательным батончикам, чтобы получить еще больше белка.

Цель — есть меньше животного белка в принципе, так что мы можем снизить потребление животного белка и повысить растительного.

Верно, что определенный образ жизни, подразумевающий энергичные и регулярные физические нагрузки, требует больше белка. Например, силовые упражнения и тренировки на выносливость могут разрушить мышечный белок и повысить наши потребности в нем для дальнейшего восстановления и роста. Но потребность в дополнительном белке пропорциональна потребности в избыточных калориях, которые сожжены тренировкой. Следовательно, тренировка повышает наш аппетит, мы повышаем прием калорий, и соответственно растет употребление белка. Если мы удовлетворяем потребности в этих избыточных калориях, которые образовались из-за тяжелых упражнений, путем поедания обычного ассортимента натуральных растительных продуктов — овощей, цельных зерен, бобов, семян и орехов, которые содержат больше 50 г белка на 10 000 калорий, мы получаем точное количество белка, которое нам нужно. Типичный ассортимент овощей, орехов, семян, бобов и цельных зерен содержит около 50 г белка на 1000 калорий. Не забывайте, зеленые овощи — это почти наполовину белок, и когда вы едите больше овощей, они поставляют вам в антираковом и суперимммуностимулирующем комплекте и белки тоже.

Дополнительные калории, полученные от полезных растительных продуктов, дают вам больше, чем просто протеин; они поставляют вам другие антиоксиданты для защиты от избыточных свободных радикалов, которые тоже образовались в результате упражнений. Природа спланировала все это очень здорово.

СОДЕРЖАНИЕ БЕЛКА В РАСТИТЕЛЬНОЙ ПИЩЕ		
	Калории	Белок в граммах
Горох (1 чашка)	120	9
Чечевица (1 чашка)	175	16
Шпинат (2 чашки)	84	10,8
Цельнозерновой хлеб (2 куска)	120	10
Кукуруза (1 початок)	150	4,2
Коричневый рис (1 чашка)	220	4,8
Семена подсолнечника (60 г)	175	7,5
Итого	**1044**	**62,3**

Считайте, что максимальное прибавление мышечной массы человека — около 400 г в неделю. Это верхний предел способности мышечных волокон производить белок в мускулах; весь белок сверх этого — превращается в жир. Хотя атлетам белка требуется больше, чем человеку, ведущему малоподвижный образ жизни, это легко достигается диетой, а белковые добавки — это не просто трата денег, а вред для вашего здоровья.

Употребление большего, чем необходимо, количества белка, а особенно животного белка, не такая уж безобидная вещь. Это вас преждевременно старит и может нанести существенный вред.

> Избыточный белок, который не понадобился организму, запасается не в форме белка; он превращается в жир или выводится почками.

В этом варианте с мочой выводится избыточное количество азота, из костей вытягивается кальций и другие минералы, что порождает камни в почках. Овощи — щелочные. Продукты животного происхождения — кислотные и требуют выработки большего количества соляной кислоты в желудке для переваривания. После приема пищи, богатой белком, эта кислота прибывает в кровь, и требуется эквивалентно сильная щелочная реакция организма для ее нейтрализации; минералы, необходимые для этой реакции, мы берем ценой своих костей, из-за чего наши кости растворяются на фосфаты и кальций. Это главная причина, ведущая к остеопорозу. Высокое потребление соли — это следующий фактор, из-за которого наши кости смываются в унитаз.

> Избыточное стимулирование обмена веществ в костях также является причиной переломов и процессов дегенерации, которые могут привести к остеоартриту и отложению кальция в тканях.

Упражнения без избыточного приема белка способствуют формированию прочных, более плотных костей и мышц. Когда вы искусственно стимулируете избыточный рост, перекармливая себя белком, и в особенности животным белком, индекс массы тела у вас может повыситься, но это приведет и к отложению жиров. Позвольте мне напомнить вам, что повышенный индекс массы тела, даже если масса обусловлена в основном мышцами, все же связан с более ранней смертью. У габаритных регбистов риск смерти от сердечных заболеваний выше более чем в два раза, многие из них умирают до 50-летнего возраста. Из более чем 600 олимпийских атлетов команды ГДР 1964 г. до наших дней дожило меньше 10. Стимулирование роста мышц добавками и стероидами в этом контексте разумным явно не кажется.

Избыточная масса тела, даже избыточный рост мышц из-за переедания белка животного происхождения, является фактором риска для инфарктов и других заболеваний, развивающихся в более поздние годы.

Нельзя судить о здоровье по размерам; мы должны оценивать его по сопротивляемости серьезным заболеваниям, потенциалу продолжительности жизни и способности поддерживать себя энергичным и атлетичным в старости. Когда вы упражняетесь ради здоровья и едите ради здоровья, одной из ваших целей должно стать уменьшение потребления животных продуктов и белков животного происхождения, а не увеличение их.

Белковый парадокс

Инсулиноподобный фактор роста-1 (ИФР-1) — это один из важных активаторов роста организма в утробе и в детстве; фактор оказывает некий анаболический (то есть формирующий тело) эффект и во взрослом возрасте. Выработка ИФР-1 стимулируется потреблением большего количества белка высокой биологической ценности. Высокая биологическая ценность означает, что белок содержит все незаменимые аминокислоты в пропорциях, максимально способствующих росту. Ошибочная озабоченность нашего общества предельным увеличением размеров и роста посредством обильного потребления животного белка повышает уровни ИФР-1.

Выработка ИФР-1 происходит прежде всего в печени, а стимулируется гормоном роста (ГР), который вырабатывается гипофизом. ИФР-1 – ключевой фактор в развитии мозга, росте мышц и костей и половом созревании. Повышенные уровни ИФР-1 нормальны для скачков роста у детей и в период пубертата. Проблема тут в том, что повышенные уровни ИФР-1, обусловленные современной диетой, связаны с раком. Повышение уровня ИФР-1 вызвано нашей диетой, богатой животными белками, и, как считается, вносит вклад в высокие показатели рака в современном мире.

Вначале ученые заметили, что повышенные уровни половых гормонов — эстрогена и тестостерона — связаны с раком груди, но недавно было показано, что инсулин и ИФР-1 столь же активно стимулируют рак. Связь между повышенным ИФР-1 и раком была известна много лет. Фактически лекарства против рака, нацеленные на путь ИФР-1, начали разрабатываться в поздние 1990-е гг., и с тех пор стартовало свыше 70 клинических исследований, множество — с обнадеживающими результатами. Поскольку ИФР-1 играет ключевую роль в росте опухолей, снижение уровня ИФР-1 диетой сейчас рассматривается учеными как эффективная профилактическая мера против рака.

ИФР-1 необходим для роста и развития в детстве, но если его значения не снижаются во взрослом возрасте, начинается старение, снижается функция иммунной системы и может развиться рак. Сниженные уровни ИФР-1 также связываются с увеличенной продолжительностью жизни. Наша ошибочная переконцентрированность на белке была взращена политической волей животноводческой и молочной отраслей, и воля эта еще пропитывает наше общество. Однако при теперешнем уровне науки стало ясно как никогда, что исторический акцент на потреблении белка сыграл деструктивную роль, в результате мы имеем взрыв, эпидемию рака в последние 100 лет.

Хотя на уровень ИФР-1 наибольшее влияние оказывает белок, избыточное потребление рафинированных углеводов тоже способствует его росту. Потребление рафинированных углеводов ведет к повышенной выработке инсулина. Инсулин регулирует энергетический обмен и влияет на ИФР-1 повышением выработки ИФР-1 и уменьшением связанных с ИФР белков. Вывод: наша нынешняя диета, богатая рафинированными углеводами и чрезмерным количеством белков, приведет к существенному росту ИФР-1. Диабет 2-го типа связывается с раком груди, прямой кишки и поджелудочной железы, и есть свидетельства, что частично в этом повинна опосредованная инсулином стимуляция выработки ИФР-1.

Из-за пониженной секреции гормона роста (ГР) уровни ИФР-1 с возрастом снижаются естественным путем. В среднем показатели сывороточного ИФР-1 к 50 годам составляют 150 нг/мл, а к 80 — 100 нг/мл. Так как ГР стимулирует мышечный рост, некоторые альтернативно мыслящие терапевты прописывали его своим пациентам в качестве средства от старости. Но исследования обнаружили, что восполнение уровня гормона роста до показателей, свойственных юношеским, полезным не было, и употребление ГР увеличило смертность среди пожилых и больных пациентов, а у здоровых лиц среднего возраста вызывало диабет и снижение толерантности к глюкозе.

Сегодня есть громадное количество доказательств повышения продолжительности жизни при снижении уровня ИФР-1 у взрослых.

Повышенные уровни ИФР-1 стимулируют не только рак, но и деменцию.

Было обнаружено, что повышенные уровни ИФР-1 в крови способствуют развитию болезни Альцгеймера, а снижение уровня ИФР-1 приводит к уменьшению симптомов нейродегенерации. В тканях, которым ИФР-1 необходим для нормального функционирования во взрослом возрасте, локальная выработка ИФР-1 в тренированной мышечной ткани компенсирует снижение уровня ИФР-1 в крови. Так что пониженные уровни ИФР-1 способствуют долголетию и не являются признаком заболевания.

Клетки организма размножаются все время. Если клетка повредилась, высокий уровень циркулирующего ИФР-1 способствует ее репликации, а этого могло бы и не случиться без ИФР-1 и из клетки не выросла бы злокачественная опухоль. ИФР-1 вовлечен в ряд процессов, имеющих отношение к росту опухоли: пролиферация клеток, адгезия, миграция, проникновение, ангиогенез и рост метастазов.

Повышенные уровни ИФР-1 связывались почти со всеми типами рака, хотя больше всего данных по наиболее распространенным — раку груди, простаты и прямой кишки. Исследование «The European Prospective Investigation into Cancer and Nutrition»[1] (EPIC) выявило, что повышенные уровни ИФР-1 были связаны с повышением риска возникновения рака груди у женщин в период менопаузы на 40%. В исследовании здоровья медсестер повышенные уровни ИФР-1 были связаны с удвоенным риском рака груди у женщин в период предменопаузы. Четыре метаанализа также связывают повышенный уровень ИФР-1 с раком груди. Повышенный уровень ИФР-1 также имеет отношение к колоректальному раку — способствует распространению колоректальных раковых клеток. Метаанализ 42 исследований, проведенный в 2009 г., показал, что повышенный уровень циркулирующего ИФР-1 связан с повышением риска рака простаты.

Предположили, что механизм, при помощи которого люди, пережившие рубеж в 100 лет, защищены от рака, основан на совместном эффекте пониженного уровня ИРФ-1 и низкого уровня систематических воспалений.

Клеточное воспаление вызывается избытком свободных радикалов и реактивными видами кислорода, как обсуждалось ранее, и предотвращается правильным питанием. Так что нетрудно видеть, почему действующие подходы к питанию столь явно вызывают рак. Если вы хотите жить до 100 лет и дольше,

---

[1] Перспективное исследование связи рака и питания в Европе.

вам нужно снизить уровень циркулирующего ИФР-1 и повысить уровень противовоспалительных агентов. Сигнальная система генов, улучшающая механизм восстановления ДНК клеток для борьбы с изменениями, которые могут привести к раку, поддерживается высоким уровнем противовоспалительных молекул, растительными микронутриентами и сниженным уровнем ИФР-1. Совместный эффект богатой фитохимикатами диеты, приводящей к снижению воспаления и оксидативного стресса, и уменьшение ИФР-1 – секрет максимального долголетия и защиты от рака.

Бо́льшую часть белков лучше получать с растительной пищей

Аминокислоты — это «кирпичики», из которых построена молекула белка. Восемь из них являются незаменимыми (должны поступать извне), то есть организм не может воспроизвести их из других аминокислот. При потреблении белков, в которых содержится более «полный» набор незаменимых аминокислот, наблюдается более высокий уровень ИФР-1 по сравнению с белком менее полноценным в биологическом отношении, то есть содержащим меньше незаменимых аминокислот. Это означает, что поддерживать низкий, более полезный для здоровья уровень ИФР-1, проще всего, прибегнув к диете с пониженным содержанием белков животного происхождения. Как правило, у людей с высоким потреблением продуктов животного происхождения гораздо более высокий уровень ИФР-1 в плазме относительно тех, кто придерживается в основном растительного рациона. У женщин после сбалансирования диеты в отношении калорий не было найдено никакой связи между уровнем потребления жиров и углеводов и уровнем ИФР-1, но белок животного происхождения и молоко вызывали опасный для здоровья подъем содержания ИФР-1 в крови.

Интересный факт состоит в том, что насыщенные жиры не повышают уровень ИФР непосредственно, но в них мало протеина, связывающего ИФР, и потому последний, ничем не связанный, разгуливает по кровеносным сосудам (повышается уровень свободно циркулирующего ИФР). Также уровень ИФР-1 значительно ниже у веганов.

Из всех растительных белков в сое находится самый «полный» набор незаменимых аминокислот, и она ближе всего к животному белку — у сои высокое содержание незаменимых аминокислот, чем у других растительных продуктов. В животных и соевых белках большое содержание незаменимых аминокислот, хотя и в других растительных белках есть более чем достаточное количество аминокислот для питания человека. Чтобы изучить эффекты рациона с соей и без соевого растительного белка, исследователи изменили потребление белка у женщин-веганок. Они обнаружили в случае рациона без соевого растительного белка более низкий уровень ИФР-1, а в случае рациона с содержанием соевого белка уровень ИФР-1 был более высоким.

Как было отмечено в исследовании Дина Орниша, которое проводилось с целью изучения влияния образа жизни на заболевание раком простаты, обезжиренный рацион строгого вегетарианца с дополнительным потреблением соевого белка увеличил уровень ИФР-1, а также уровень протеина, связывающего ИФР-1. Так что соя в умеренных количествах не оказывает существенного влияния на свободно циркулирующий ИФР-1. Эти результаты означают, что хоть соевый белок и может вызвать увеличение уровня ИФР-1, это не так рискованно, как в случае употребления животных белков, но чем больше у нас накапливается таких белков и чем больше мы их принимаем по отдельности, тем с большей вероятностью они простимулируют выработку ИФР-1.

В ходе исследований по изменению рациона выявили, что в случае связанного соевого протеина наблюдался уровень ИФР-1 выше, чем в случае потребления просто соевых бобов. Так что цельные соевые бобы или минимально обработанные соевые продукты, такие как тофу[1] и темпе[2] — это приемлемые

---

[1] Т о ф у — т. н. соевый творог — пищевой продукт из соевых бобов, богатый белком.

[2] Т е м п е — ферментированный продукт питания, приготовляемый из соевых бобов, популярный в Индонезии и других странах Юго-Восточной Азии. Темпе производится из целых соевых бобов.

продукты, а вариант увеличения мышечной массы через связывание соевого белкового концентрата (например, порошок) не рекомендуется.

Высокий уровень ИФР-1, безусловно, вреден для здоровья, так как он тесно связан с раком, а также со смертностью в целом и заболеваниями сердечно-сосудистой системы. Сведение к минимуму или неупотребление вовсе животного белка и связанных соевых белков поможет поддерживать нормальный уровень ИФР-1.

Человек со здоровым растительным рационом не должен волноваться о том, что уровень ИФР-1 может стать слишком низким, так как из этого рациона он получит все необходимое. Главная мысль тут в том, что яичные белки и белое мясо не благоприятны для вашего долголетия и навязчивая идея нашего общества в чрезмерном потреблении белка может быть причиной современной эпидемии рака. Супериммунитет может быть достигнут только с таким рационом, в котором снижено потребление белков животного происхождения по сравнению с нашим обычным.

ВАЖНЫЕ БАЗОВЫЕ ЗНАНИЯ

Ключевой компонент крепкого здоровья — есть больше овощей, фруктов, орехов, семян, зерен и других богатых питательными веществами продуктов.

Когда вы станете больше есть таких полезных продуктов, организм будет получать питательные микроэлементы и, таким образом, в рационе снизится количество продуктов животного происхождения и технологически обработанных продуктов, без каких-либо хитростей, подсчета калорий или контроля количества съеденного.

> Больше всего полезных микроэлементов и меньше всего калорий содержится в зеленых овощах.

Они — основа моего питательного рациона. Если у вас избыточный вес, то чем больше зелени вы едите, тем меньше всего остального и тем стройнее и здоровее вы станете. Человеку требуется определенное необходимое количество питательных веществ растительного происхождения, и некоторые из этих питательных веществ для получения максимальной выгоды необходимо употреблять в сыром виде. Поэтому очень важно употреблять салат каждый день, в составе которого есть листья салата и другая зелень, помидоры и другие сырые овощи.

Рацион должен состоять из высокопитательных продуктов, но также важно, чтобы в нем было необходимое количество разнообразных питательных веществ для удовлетворения всех потребностей организма. Чтобы так сделать, обязательно убедитесь, что в ваш рацион входят все питательные вещества, которые могут помочь вашей иммунной системе работать по максимуму и создать суперимунитет. Итак, вот несколько основных правил, которые вы должны запомнить.

ПЯТЬ ПРОСТЫХ ПРАВИЛ МОЩНОЙ ИММУННОЙ СИСТЕМЫ:
1. Ешьте большую порцию салата каждый день.
2. Ешьте минимум половину стакана фасоли или зернобобовых культур в супе, салате или отдельно раз в день.
3. Ешьте минимум 3 свежих фрукта в день, особенно полезно есть ягоды, гранаты, вишни, сливы, апельсины.
4. Ешьте по крайней мере 30 г орехов и семян в день в натуральном виде.
5. Ешьте по крайней мере одну большую порцию зеленых овощей, приготовленных на пару, ежедневно.

ИЗБЕГАЙТЕ 5 САМЫХ СМЕРТОНОСНЫХ ПРОДУКТОВ:
1. Пища, приготовленная на гриле; технологически обработанное мясо или магазинное красное мясо.
2. Жареная пища.
3. Молочные продукты с большим содержанием жира (сыр, мороженое, сливочное масло, цельное молоко или трансжиры, например маргарин).
4. Сладкая вода, сахар или искусственные подсластители.
5. Еда, приготовленная из белой муки.

ПОКАЗАТЕЛИ ПИТАТЕЛЬНОЙ ПЛОТНОСТИ ТРИДЦАТКИ ЛУЧШИХ СУПЕРПРОДУКТОВ

Чтобы вам было легче создать супериммунитет, я перечисляю здесь свой Рейтинг лучшей еды. Это продукты, которые защищают от рака и помогают вести долгую здоровую жизнь. Включите в свой рацион столько этих продуктов, сколько можете.

> Вы — то, чем вы питаетесь. Чтобы быть лучшим, вы должны питаться лучшим!

Теперь вы знаете, какие именно продукты имеют высшее качество и помогут вам приобрести супериммунитет. Вопрос в том, сколько технологически обработанных пищевых продуктов, картофеля фри, пиццы, гамбургеров и жареного риса можно употреблять в пищу и оставаться защищенным.

Бьюсь об заклад, если вы любите мясо, то задаетесь вопросом, как много продуктов животного происхождения можно есть и оставаться здоровым.

Точный ответ на этот вопрос я не знаю, и никто его не дает. Но из обзоров мировой научной литературы за последние 20 лет можно заметить, что обработанные продукты и продукты животного происхождения (и те и те с относительно низким содержанием микроэлементов и с вредным составом) должны составлять менее 10% от общего числа потребляемых калорий, или вы почувствуете пагубные последствия для организма. В целом старайтесь есть в день не более одного или двух продуктов, которые не помогают вашему здоровью.

Женщины обычно употребляют от 1400 до 1800 калорий ежедневно, и всего 150 калорий в день могут потребляться с продуктами животного происхождения, рафинированными углеводами, такими как печенье или белая паста. Остальная пища должна быть растительного происхождения, такая как зеленые овощи, бобовые, семена и орехи. Для мужчин эта граница составляет не более 200 калорий.

Капуста листовая, горчица листовая, турнепс	100
Кале[1]	100
Жеруха	100
Брюссельская капуста	90
Капуста китайская	85
Шпинат	82
Рукола	77
Капуста белокочанная	59
Брокколи	52
Цветная капуста	51
Салат Ромэн	45
Перец, зеленый и красный	41
Лук репчатый	37
Лук-порей	36
Клубника	35
Грибы	35
Томаты и продукты из томатов	33
Гранаты / гранатовый сок	30
Морковь / морковный сок	30/37
Ежевика	29
Малина	27
Черника	27
Апельсин	27
Семена: льна, подсолнечника, кунжута, конопли, чиа	25 (в среднем)
Виноград красный	24
Вишня	21
Слива	11
Фасоль (все разновидности)	11
Орехи грецкие	10
Фисташки	9

[1] К а л е — двулетнее овощное растение, разновидность вида капуста огородная семейства капустных.

Это означает, что если вы использовали несколько столовых ложек масла, то исчерпали ваш лимит продуктов «с низким содержанием питательных калорий». Так что если у вас на ужин белок животного происхождения, то не добавляйте масло. Или если вы едите рогалик, то без животного белка.

Конечно, цельнозерновой хлеб, макаронные изделия и продукты из цельнозерновой крупы не подпадают под этот запрет. В категорию бакалеи отнесены только продукты из белой муки или обработанных злаков.

	150 калорий	200 калорий
Оливковое масло	1 ¼ столовой ложки	1 ¾ столовой ложки
Куриная грудка	90 г	120 г
Пицца	½ куска	¾ куска
Картофель фри	15 шт.	20 шт.
Рогалик	⅘ бублика	$^{11}/_{10}$ бублика
Белая паста	¾ чашки	$^9/_{10}$ чашки
Яичница-болтунья	1 ½ яйца	2 яйца
Молоко 1%-ной жирности	350 мл	450 мл
Молоко обезжиренное	400 мл	550 мл
Овсяное печенье	2 печенья	2 ½ печенья
Лосось	100 г	140 г
Тилапия	120 г	150 г
Говядина постная (жареная)	60 г	80 г
Сыр чеддер	40 г	50 г

Выбирая, что съесть из продуктов животного происхождения или бакалеи, старайтесь сделать наилучший выбор. В конце концов, для приготовления гамбургеров используют мясо коров, выращенных на фабриках, и такая пища слишком опасна для частого употребления или даже редкого.

Таким образом, я рекомендую употреблять яйца, мясо животных, которые питались травой, натуральную дикую рыбу и естественно вскормленную, без гормонов роста птицу. Аналогичным образом для сладостей: приготовленные дома — лучший выбор, с сухофруктами и свежими фруктами в качестве подсластителя. Рецепты для приготовления на дому вкусных печений, тортов или мороженого вы найдете на с. 271–280.

Со временем большинству нутритарианцев (и мне в том числе) здоровая пища начинает нравиться больше, чем обычный фастфуд, вредные закуски или чрезмерно обработанные пищевые продукты. Как только вы начнете питаться здорóво, вам все меньше и меньше будет хотеться нездоровой пищи, и скоро это желание просто исчезнет.

Есть еще одна хорошая новость, мой многолетний опыт работы в области питания позволил мне познакомиться с лучшими шеф-поварами мира. И я могу сообщить, исходя из общения с ними, что доступность суперздоровой пищи и ее качество начинает меняться. Изысканные блюда теперь не похожи на кусок мяса с картофелем в сливках. Теперь одни из лучших шеф-поваров в мире готовят здоровую пищу. Мы можем создать иммунную поддержку, защитить себя от рака, а также создать восхитительный вкус.

Опрос тысячи нутритарианцев показал, что после перехода на новый, полезный для здоровья рацион, по истечении нескольких месяцев привыкания, подавляющее большинство в итоге перешли на новые продукты и рецепты, и новый рацион им нравился больше или так же, как их старый. Что-то может показаться радикальным сейчас, но скоро станет вкусным и изменяющим жизнь к лучшему.

Глава 6

ДЕЛАЯ
ПРАВИЛЬНЫЙ ВЫБОР

Каждый день мы сотни раз должны выбирать, чем пичкать свое тело. Иногда сделать оптимальный выбор может быть сложно, не имея фактов. Вокруг очень много ложной информации, и я много раз видел, как люди принимают важные решения, касающиеся их здоровья, основываясь на ошибочных сведениях. В продолжение своей практической работы с пациентами я ответил и продолжаю отвечать на десятки тысяч специфических вопросов, относящихся к этим возможностям выбора.

На последующих страницах я разместил тщательно отобранные важные практические, основанные на опыте, сведения, которые нам необходимо знать — все, от количества животного белка и соли до источников Омега-3-кислот и «за» и «против» употребления витаминных добавок. Я даю особые рекомендации, не только содержащие ответы на самые горячо обсуждаемые вопросы в области здоровья, но и подкрепленные новейшими доступными научными данными.

Важно помнить, что изменение образа вашего питания не может произойти мгновенно. Тем не менее тысячи людей уже осуществили это изменение и обнаружили, что оно прошло гораздо легче и приятнее, чем они ожидали. По мере того, как улучшается ваше здоровье с помощью более совершенного питания, вкусовые сосочки вашего языка также укрепляются, и вы учитесь любить то, что вы едите. Создание новых предпочтений в еде требует времени, но ожидание будет не напрасным, и мои рецепты к тому же делают его приятным. На всех страницах этой книги я даю вам рекомендации, касающиеся вашего пути к супериммунитету. Благодаря исследованиям, проведенным в области науки о питании, в нашем распоряжении есть все необходимые факты. Нам известны продукты, употребление которых может привести к долгой здоровой жизни, и мы знаем, какая пища, выбираемая нами, может привести к ухудшению здоровья. Усилия, затраченные вами, чтобы улучшить здоровье, будут вознаграждены сторицей. Хорошее здоровье — основа жизненного успеха и счастья. Кроме того, выбор правильного питания дает возможность спасти вам жизнь. Давайте сегодня вместе начнем путешествие по этому пути.

Вопрос, который часто задают мне, — действительно ли веганская диета, в которой совершенно отсутствуют продукты животного происхождения, лучше и здоровее диеты, включающей небольшое количество продуктов животноводства.

Объективный, научно обоснованный ответ — никто не знает этого наверняка. Даже несмотря на то что процент сердечных приступов и уровень заболеваемости раком среди веганов ниже, чем среди населения, придерживающегося традиционного питания, те же преимущества документально подтверждены у тех, кто придерживается здорового питания, время от времени потребляя также продукты животноводства. Это относится к тем, кто питается практически вегетарианской пищей, употребляет мясо или рыбу примерно один раз в неделю. Обзор 5 исследований смертности от этих причин показал, что статистические данные о тех, кто ел рыбу от случая к случаю, столь же впечатляющи, что и о веганах.

Более того, для всех обществ, отличающихся наибольшей продолжительностью жизни в писаной истории, таких как жители племени хунза в Центральной Азии, абхазы на юге России, население деревни Вилкабамба в Андах (Южная Америка) и острова Окинава в Японии, характерно очень малое употребление продуктов животного происхождения, но полностью веганами эти люди не были. По мере того как мы существенно продвигаемся от редкого употребления продуктов животноводства к их включению в рацион в значительном количестве, мы ясно видим увеличение числа сердечных и онкологических заболеваний. Очевидно, именно комбинация увеличения потребления овощей и фруктов вместе со снижением в рационе доли продуктов животного происхождения дает нам перспективу долголетия.

В Соединенных Штатах наиболее значимым исследованием, выясняющим этот вопрос, является обследование Адвентистов седьмого дня, религиозной группы, полезной для изучения обсуждаемого вопроса, так как почти все ее члены избегают употребления табака и алкоголя и в целом придерживаются здорового образа жизни. Примерно половина их — вегетарианцы, в то время как другая половина употребляет мясо в небольших количествах. Это позволило ученым отделить воздействие неупотребления мяса от других полезных для здоровья обычаев. Они даже проследили за теми, кто ест продукты животноводства раз в неделю, почти-вегетарианцев, как они их называли.

Это исследование продолжительностью 12 лет, опубликованное в 2001 г. Архивами лечения внутренних болезней, выявило, что Адвентисты седьмого дня в Соединенных Штатах были самой долгоживущей популяцией из всех, когда-либо изучавшихся. Средняя продолжительность жизни женщин-веганок, равная 85,7 года, была наибольшей (более чем на 6 лет дольше, чем в среднем для жительницы Калифорнии), у мужчин средняя продолжительность жизни — 83,3 года (на 6 лет дольше, чем в среднем для мужчины-калифорнийца). Дольше всех жили те вегетарианцы, кто регулярно ел орехи и семена. Веганы, питавшиеся орехами, жили даже немного дольше, чем почти-вегетарианцы. Воздействие регулярного употребления в пищу орехов и семян было более достоверно связано с увеличением продолжительности жизни, чем строгость веганской диеты. Это значит, что те, кто придерживался почти веганской диеты, регулярно употребляя орехи и семена, имели лучшие статистические показатели продолжительности жизни, чем строгие веганы.

В общем, эти исследования показали существенное снижение риска заболевания раком среди тех, кто избегал мяса.

Современная диета в Америке и других развитых странах включает более 25% калорий, получаемых из продуктов животного происхождения. После проводимых мною в течение всей жизни исследований данного вопроса и тщательного оценивания всех научных и подтверждающих данных, я пришел к выводу, что никакой полемики более не должно быть.

> Перевес доказательств ошеломляющий и обосновывающий вывод: чтобы максимально увеличить продолжительность жизни, мы должны снизить потребление продуктов животноводства и взамен их есть больше растительных продуктов.

Логичный вопрос для дальнейших исследований, который надо проработать, — является ли достаточным ограничением определенная мной величина в максимум 10% калорий, получаемых от потребления животной пищи, для достижения максимальной продолжительности жизни, если во всех остальных отношениях диета совершенна.

Проблема в том, что очень немногие могут исследовать этот вопрос без предубеждения, влияющего на их мнение. В наше время питание уподобилось политике, с лагерями различных сект, убежденных в праведности их подхода. У каждого лагеря есть своя задача, планы работ и самолюбие, которые надо защищать. Некоторые гуру насыщенной белками, низкоуглеводистой диеты продвигают идею увеличения более чем вдвое количества потребляемых продуктов животного происхождения по сравнению с сегодняшним уровнем, находясь в плену ошибочного представления, что это в результате приведет к соответствующей потере веса или улучшению здоровья. Смогут ли некоторые люди немного похудеть при выполнении подобного плана или нет, практически не имеет значения, если ценой, заплаченной за это, будет смерть в гораздо более раннем возрасте. Чтобы похудеть, вы и курить сигареты можете.

С другой стороны, движение в защиту веганской диеты также зачастую использует доступные научные знания избирательно, чтобы только обнародовать исследования и интерпретировать их таким образом, чтобы продвигать диету, в которой совершенно отсутствуют продукты животного происхождения. Это не значит, что при таком подходе вовсе уж не найдется этически и экологически обоснованных аргументов, обосновывающих веганскую диету и ее значимость для человечества. Но, являясь диетологом, исследователем и врачом, я вижу свою задачу в том, чтобы гарантировать: на мой совет не влияют иные посторонние мотивации и личные пристрастия. Он находится строго в рамках науки о питании и здоровье, моего практического опыта. Истинный ученый проверяет теорию, не имея предопределенных скрытых мотивов, и собирает не только те факты, которые подтверждают его позицию, а все имеющиеся.

В полностью веганской диете недостаточно витамина B_{12} и эйкозапентаеновой (ЭПК) и докозагексаеновой (ДГК) жирных кислот, этих длинноцепочечных целебных жиров, обычно получаемых из дикого лосося и сардин.

Живи мы в древние времена, не имея возможности дополнить веганскую диету витамином B_{12}, это был бы неприемлемый вариант. Но сегодня легко дополнять диету благоразумно и осознанно, чтобы гарантировать отсутствие какого-либо возможного дефицита, и мы можем даже с помощью анализов крови определять, являются ли уровни добавок оптимальными. Тогда веганская диета становится не просто приемлемым, но, возможно, наиболее здоровым вариантом из всех режимов питания.

Включение в рацион рыбы ради получения полезных жирных кислот может принести некоторую пользу подгруппе веганов, которые, как и следовало ожидать, не получают в идеальных количествах тех длинноцепочечных Омега-3 жиров, которые обнаружены в рыбе. Это в большей степени теоретическое отношение к старению, так как возможность самостоятельной выработки достаточного количества длинноцепочечных жиров снижается у пожилых людей, и, по моим данным, эта тенденция является преобладающей у мужчин. Но даже это может быть выявлено с помощью анализа крови и сегодня дополнено веганскими формами ЭПК и ДГК, чтобы обеспечить идеальные уровни их употребления без необходимости есть рыбу.

Йод и цинк — другие представляющие интерес питательные элементы, так как оптимальные уровни их содержания в пище важны для оптимального здоровья, хотя большинство соблюдающих строгую вегетарианскую диету не страдают от их дефицита, что подтверждается использованием анализов крови для подтверждения достаточности питания. Тем не менее добавление в рацион малых количеств йода легко достигается с помощью щепотки морской капусты несколько раз в неделю или соответствующих добавок, поставляющих дополнительно цинк, йод, B_{12} и витамин D. Витамин D, «солнечный» витамин, также не обнаруживается в достаточных количествах в пище и должен надлежащим образом добавляться к пище, если время пребывания на солнце недостаточно.

Воспользовавшись информацией, которую вы уже здесь получили, вы, наверное, поняли общий полезный эффект от определенных растений для усиления функции иммунитета и необходимость увеличить их потребление в процентах к общему числу калорий. Необходимо ограничивать объем как подвергнутой обработке пищи, так и продуктов животного происхождения, чтобы в схеме потребления калорий оставалось место для приема достаточного количества пищи, богатой питательными веществами, обладающими онкопротекторным действием. Вот так вы извлекаете дополнительную пользу, уменьшая биологическое и гормональное воздействие животной пищи, выраженное в создании благоприятных условий для развития сердечных недугов и рака. Более того, если вы согласитесь с данными науки и логикой, что диета с богатым содержанием питательных микроэлементов в расчете на одну калорию — потенциальный путь к долголетию, это автоматически ведет к необходимости ограничить животную пищу. Некоторые люди могут выбрать увеличение потребления продуктов животного происхождения по сравнению с моими рекомендациями, и многие будут защищать свои предпочтения в еде до самой смерти. Но мы все должны осознать, что это не выбор хорошо информированных людей, и не тот, который сделан только на основе вопросов здоровья, но на него повлияли другие проблемы, действующие на их личные предпочтения.

НЕОБХОДИМА ЛИ ЖИВОТНАЯ ПИЩА ДЛЯ ХОРОШЕГО САМОЧУВСТВИЯ?

Жизненный опыт подсказывает мне, что это распространенное утверждение исходит от тех людей, которые чувствуют себя хуже в первые несколько недель после изменения питания. Вместо того чтобы проявить терпение, многие просто возвращаются к своему прежнему образу питания и настаивают на том, что им необходимо мясо, чтобы благоденствовать.

Диета, сильно перегруженная животной пищей, вызывает токсический стресс систем детоксикации организма. Подобно ситуации с прекращением поступления в организм кофеина или с отказом от сигарет, многие замечают симптомы синдрома отмены в течение короткого периода, обычно включающие усталость, слабость, головные боли или жидкий стул. В 95% таких случаев эти симптомы исчезают в течение двух недель. Чаще оказывается, что временный период адаптации, во время которого вы можете испытывать неярко выраженные симптомы, по мере того, как ваше тело отказывается от ваших прежних отравляющих привычек, продолжается менее недели.

К несчастью, многие ошибочно ассоциируют эти симптомы с некоторой недостаточностью новой диеты и вновь возвращаются к нездоровому питанию.

Иногда такие люди убеждены, что плохо себя чувствуют, потому что не едят достаточно белковых продуктов, особенно потому, что, когда они возвращаются к своей старой диете, они вновь чувствуют себя лучше. Люди очень часто путают хорошее самочувствие с хорошим состоянием здоровья. Иногда вам надо временно чувствовать себя немного хуже, чтобы в действительности стать здоровее.

Не покупайтесь на хитрость, что вам «требуется больше белка». Рекомендуемая здесь и в других моих книгах программа питания предлагает достаточно белка — и недостаток протеина не вызывает усталости. Даже мои строго вегетарианские меню являются источником около 50 граммов белка на 1000 калорий, огромное количество.

Один из наиболее частых симптомов, который наблюдается при снижении количества употребляемого животного белка и ограничении сладостей, — временная усталость. Это просто часть нормального процесса детоксикации, через который должно пройти большинство людей. К тому же этот процесс чаще всего выражается в виде неярко выраженных симптомов, проявляющихся менее 5 дней.

Внезапное уменьшение потребления соли может также вызвать усталость из-за снижения давления крови, которое происходит от временного уменьшения количества натрия в кровотоке, пока почки приспосабливаются. Почке, уже привыкшей выбрасывать из организма огромную натриевую нагрузку (из-за диеты с большим содержанием соли), может потребоваться несколько недель, чтобы осознать, что теперь ей не надо удалять так много натрия из системы. Это может внести свой вклад в чувство усталости, испытываемое человеком в первую неделю после серьезных изменений в питании.

Другие симптомы, такие как повышенное газообразование и частый жидкий стул, также иногда наблюдаются при переходе на диету, содержащую так много пищевых волокон. За многие годы наше тело приспособило свои секреторные функции и перистальтические волны к диете с низким содержанием волокон.

Эти симптомы со временем также сгладятся. Сверхтщательное разжевывание, иногда даже приготовление пюре помогает в этом переходном периоде. Некоторым людям следует вначале использовать бобовые только в малых количествах, увеличивая их постепенно в течение нескольких недель, чтобы приучить желудочно-кишечный тракт переваривать и усваивать эти новые для него волокна.

Существует некоторое число людей с повышенными пищевыми потребностями в жирах или белках, которые должны планировать свою растительную, в основе нутритарианскую, диету так, чтобы включить в нее больше богатых белком продуктов. Семена подсолнечника, конопли, орехи средиземноморской сосны и соевые бобы — все это варианты, удовлетворяющие эту повышенную потребность с помощью растительных источников белка. Определенная группа людей испытывает также повышенную потребность в жирах, и тип вегетарианской диеты, которой они, возможно, придерживались в прошлом, был недостаточно богат определенными жирами, существенными для их организма. Это может произойти в случае, если практикуется диета, основанная на растительной пище, включающей большое количество продуктов из пшеницы и зерновых, в которых содержится мало жиров. Зачастую полезным дополнительным источником Омега-3 жирных кислот оказывается добавление молотых семян льна и грецких орехов к этой диете.

> Некоторым особенно худощавым людям требуется больше калорий и жиров для поддержания веса. Это обычно решается включением в рацион сырых орехов, масел из сырых орехов, авокадо и других полезных продуктов, богатых питательными веществами и к тому же содержащих большое количество жиров и калорий.

Даже худые от природы люди значительно улучшат свое здоровье и снизят риск дегенеративных заболеваний, если снизят зависимость от животной пищи и будут вместо нее употреблять больше жиров растительного происхождения, например орехов.

Наконец, существуют и такие редкие индивидуумы, в диете которых необходимо больше концентрированных источников белка и жиров вследствие ослабления пищеварительной системы, болезни Крона, синдромов кишечной недостаточности или других уникальных медицинских обстоятельств. Я также в редких случаях встречал пациентов, которым требовалось больше белка и в особенности большее количество аминокислоты таурина. Организмы этих индивидуумов вследствие их генетических особенностей не могут вырабатывать идеальных количеств одной или более не самых важных аминокислот, обычно аминокислоты таурина. В этих редких случаях необходимы были добавка аминокислоты или употребление большего количества продуктов животноводства, чтобы замедлить время прохождения пищи по кишечнику и способствовать всасыванию и концентрации аминокислот при каждом приеме пищи. Эта проблема может являться результатом какого-либо ухудшения функционирования пищеварительной системы или затрудненного всасывания в кишечнике. Тем не менее только в крайне редких случаях происходит, что, сочетая высокобелковые семена с добавкой таурина, с небольшим количеством животной пищи, как я советую, этот человек должен будет, чтобы стать крепче, соблюдать диету с увеличенным количеством продуктов животного происхождения. Эти редкие индивидуумы все-таки должны следовать моим общим рекомендациям для достижения отличного здоровья и могут согласовать их со своими собственными потребностями, снижая потребление продуктов животноводства до сравнительно низких уровней.

ВЛИЯЮТ ЛИ ФИЗИЧЕСКИЕ УПРАЖНЕНИЯ НА ИММУНИТЕТ

Люди, которые регулярно занимаются физическими упражнениями, реже простужаются и болеют легче. Энтузиасты физкультуры всегда похваляются, что они испытывают недомогание реже, чем малоподвижные люди, но до того, как этот вопрос был хорошо изучен, никто в действительности не знал, насколько это справедливо. Для научной работы исследователи собрали данные о 1002 мужчинах и женщинах в возрасте от 18 до 85 лет. Более 12 недель осенью и зимой 2008 г. исследователи отслеживали число инфекционных заболеваний верхних дыхательных путей, которыми страдали участники эксперимента. В этом исследовании принимался во внимание ряд факторов, включая возраст, индекс массы тела и образование. Среди участников также проводился опрос об их образе жизни, режиме питания и стрессовых ситуациях, любая из которых может повлиять на иммунную систему. Кроме того, все участники сообщали, как много и каких именно аэробных упражнений они выполняли еженедельно и оценивали свой уровень физической формы, используя 10-балльную систему.

Исследователи обнаружили, что частота простуд среди тех, кто тренировался 5 или более дней в неделю, была до 46% меньше, чем среди тех, кто преимущественно вел малоподвижный образ жизни — а именно тех, кто тренировался только раз в неделю или реже. Эти результаты ошеломляющи — вполовину меньше вирусных инфекций среди тех, кто регулярно занимался физическими упражнениями. Плюс к этому: когда эти люди заболевали, болезнь протекала легче, и число дней болезни было намного меньше, на 41%.

> Физические упражнения не только помогают иммунной системе отражать простые бактериальные и вирусные инфекции, они снижают риск развития сердечных заболеваний, остеопороза и рака. Здесь ключом к стимулирующему долголетие действию физических упражнений является поддержание высокой степени переносимости физической нагрузки и хорошей физической формы.

Когда проводились наблюдения за мужчинами среднего возраста в течение 26 лет, исследователи обнаружили, что дольше всех жили те, кто активно занимался физическими упражнениями. Это воистину жизнеспособность наиболее приспособленных. То же самое справедливо касательно профилактики сердечных заболеваний. Иными словами, недостаточно просто ходить пешком, включение упражнений, требующих приложения больших усилий, при выполнении которых возрастает частота сердечных сокращений и подтверждающих, что ее повышение в течение не менее 5 минут имеет дополнительный полезный эффект.

Занимайтесь физкультурой активно, включите бег трусцой, прыжки на месте и другие упражнения и виды деятельности, повышающие частоту сердечных сокращений. В особенности следите за тем, чтобы ваши ноги и основные мышцы живота и спины были сильными. Чтобы получить наибольшую пользу от занятий, упражняйтесь хотя бы три раза в неделю.

Это не означает, что участие в соревнованиях по триатлону или в марафонах продлевает жизнь. Повышенная физическая нагрузка — стресс для тела и приводит к образованию слишком большого числа свободных радикалов. В большинстве случаев умеренная компенсирующая нагрузка дает нам более чем полную компенсацию этой дополнительной физической нагрузки, включая увеличение функциональной эффективности почти всех клеток тела. Однако при высоких степенях активности занятий физкультурой, таких как длительные соревнования по бегу, велосипедному спорту или бегу на лыжах по пересеченной местности, влияние стресса на организм может превысить полезный эффект.

ЧТО НУЖНО ЗНАТЬ О ВИТАМИНАХ И ПИЩЕВЫХ ДОБАВКАХ

Прежде всего я рекомендую большинству людей высококачественные поливитамины с минералами, чтобы обеспечить необходимый уровень витамина D, B_{12}, цинка и йода. Очень немногие из нас питаются правильно, и никогда не помешает уверенность в том, что вы принимаете внутрь достаточные количества этих важных веществ, особенно тех питательных веществ, уровень потребления которых может быть ниже идеального даже при превосходной диете.

Убедиться в том, что мы получаем достаточно йода, жизненно важно, особенно потому, что изменение в нашей диете ограничит количество поглощаемой соли. Соль йодируют, делая ее основным источником йода в рационе большинства людей. Цинк, как уже обсуждалось, важнейший минерал, получать который в достаточных количествах может оказаться сложно, соблюдая полезную диету. Например, содержание цинка в веганской или почти веганской диете не достигает идеального уровня. Поэтому правильно подобранный поливитаминный комплекс может гарантировать достаточное поступление внутрь для поддержания оптимального уровня функционирования наших иммунных систем. Тем не менее, как вы увидите, мы должны быть осторожны в отношении других компонентов мультивитаминов.

Я тщательно просмотрел научные работы, касающиеся каждого ингредиента мультивитаминов/мультиминералов, и мне стал очевиден существенный риск постоянного употребления определенных питательных веществ, особенно в дозах, обнаруженных в высокоэффективных витаминных добавках. Итак, несмотря на то, что мультивитамины могут содержать полезные вещества, они также содержат ингредиенты, являющиеся вредными, которые могут существенно увеличить риск употребляющего их заболеть раком.

Использование витаминов и минералов обычно подчиняется двухфазной кривой отклика на дозированное употребление. Это означает, что польза слишком малых количеств проблемна, определенный средний диапазон, похоже, идеален, а слишком большое количество также может вызвать проблему. Это можно ясно видеть, рассматривая данные по витамину Е. В то время как употребление пищи, богатой витамином Е и различными фрагментами витамина Е, очевидно, благотворно, прием больших доз, таких, как 200–400 МЕ (международных единиц), количества, которое невозможно получить даже из самой богатой витамином Е пищи, имеет негативные последствия.

Итак, вот в чем мы должны соблюдать осторожность. Наиболее опасными нутриентами в пищевой добавке являются витамин А (ретинола ацетат или и ретинола пальмитат) и фолиевая кислота. Эти два питательных вещества ответственны за отрицательные стороны большинства мультивитаминов и не позволяют говорить об абсолютной полезности приема типичных мультивитаминов. Стойкие негативные последствия добавочного поступления витамина Е и фолиевой кислоты могут объяснить, почему результаты исследований, касающиеся мультивитаминов, так неубедительны. Точнее, некоторые эксперименты показывают, что прием мультивитаминов полезен, а другие — что никакой пользы не приносит. В целом отсутствуют весомые доказательства, позволяющие сделать вывод, что мультивитамины, в их нынешнем виде, играют существенную роль в продлении жизни и снижении заболеваемости раком. Тем не менее, поскольку мы теперь знаем, что отрицательное воздействие оказывают только 4 или 5 основных ингредиентов добавки, и наиболее сильное негативное влияние оказывают фолиевая кислота и витамин А, весьма вероятно, что, если бы они отсутствовали в принимаемом мультивитаминном комплексе, он демонстрировал бы стойкую пользу для здоровья большинства людей.

Эта способность мультивитаминов, за исключением витамина А и фолиевой кислоты, приносить пользу для здоровья и продолжительности жизни подкрепляется доказательствами того, что прием мультивитаминов в обычных дозах увеличивает длину теломеров в клетках. Было выявлено, что у принимавших комплекс витаминов теломеры были более чем на 5% длиннее по сравнению с теломерами тех, кто не принимал мультивитамины на постоянной основе. Теломеры укорачиваются с возрастом, и более короткие теломеры ассоциируются с меньшей продолжительностью жизни.

Бета-каротин, витамин А и фолиевая кислота

Прием внутрь витамина А или бета-каротина отдельно от других добавок, вместо того, чтобы получать его из пищи, может повлиять на всасывание других критически важных каротиноидов, таких как лютеин и ликопен, таким образом потенциально увеличивая риск заболевания раком. Бета-каротин был однажды расценен как безопасный и полезный антиоксидант и даже рекомендован в качестве противоракового витамина, но недавно было показано, что он увеличивает риск определенных видов рака, когда его рассматривают как пищевую добавку в противовес витамину А, получаемому из пищи. Ученые в наши дни подозревают, что проблемы могут появиться, когда бета-каротин употребляется в отсутствие других каротиноидов, которые присутствовали бы, поступай они в организм с настоящей пищей. Бета-каротин — только один из 500 существующих каротиноидов. Бета-каротиновые добавки — плохие заменители широкого ассортимента каротиноидных структур, обнаруженных в растениях.

Много лет назад ученые отметили, что в популяциях с высокими уровнями бета-каротина в кровяном русле очень низка заболеваемость раком. Но сейчас мы понимаем, что причина, по которой эти люди были защищены от рака, кроется в сотнях других каротиноидов и других биохимических соединений во фруктах и овощах, которые они потребляли. Бета-каротин служил в качестве флага или маркера для этих популяций, в питании которых было много фруктов и овощей. К сожалению, многие люди перепутали флаг с кораблем.

Согласно исследованиям, проведенным в Финляндии, оказалось, что те, кто использовал бета-каротиновые добавки, не только не смогли предотвратить заболевание раком легких, но в действительности было отмечено увеличение заболеваемости раком среди тех, кто принимал добавку.

Опыт был прекращен, когда терапевты-исследователи обнаружили, что смертность от рака легких среди участников эксперимента, принимавших большое количество бета-каротина и витамина А, была на 28% выше. Более того, уровень смертности от сердечных заболеваний был на 17% выше среди тех, кто принимал добавки, по сравнению с получавшими плацебо.

Витамин А

Поскольку бета-каротин в вашем организме преобразуется в витамин А, нет никакой причины, по которой человеку, питающемуся согласно достаточно здоровой диете, потребовалось бы некоторое дополнительное количество витамина А. Прием внутрь добавочного количества витамина А (ретинола ацетата или и ретинола пальмитата) — больший риск, чем прием дополнительного бета-каротина. В организме человека избыточный витамин А потенциально представляет собой проблему, даже в пределах, обычно не считающихся токсичными. Обзор Кохрановского содружества, *состоящий из 68 случайно выбранных исследований дополнительного приема* витамина А (в среднем 20 000 МЕ) показал увеличение средней вероятности смертности на 16% (в среднем в течение 3 лет). Это означает, что при избытке витамина А возрастает риск раковых заболеваний, и этот риск существен.

Имеется также обоснованное опасение, что добавочный витамин А приводит к потере кальция с мочой, внося вклад в развитие остеопороза. Несмотря на то что слишком большое количество витамина А, как известно, токсично для печени, наиболее частым результатом воздействия токсических доз витамина А на организм животного является спонтанный перелом. Очевидно, излишек витамина А представляет собой потенциальную проблему и для человеческих костей — в одном исследовании было показано удвоение частоты переломов костей тазобедренного сустава при сравнении доз приема внутрь витамина А: в пределах от 5 мг до 1,5 мг. И это типичное количество, обнаруживаемое в большинстве витаминных добавок. Витамин А также связывают с врожденными пороками развития.

Фолиевая кислота

Прежде всего запомните одно: фолат[1] — не то же самое, что фолиевая кислота, хотя многие используют эти термины взаимозаменяемо. Фолат — член семейства витаминов В и в естественном состоянии обнаруживается в растительной пище, особенно в зеленых овощах. Он участвует в процессах метилирования ДНК, которое, по существу, включает и выключает гены. Эта ответственная роль делает фолат важным в развитии плода и здоровье

---

[1] Ф о л а т — соль фолиевой кислоты.

нервной ткани, а также в возникновении и развитии раковых опухолей.

Вследствие важной роли фолата в процессах, связанных с ДНК и развитием человеческого организма, женщинам рекомендуют принимать фолиевую кислоту в качестве пренатальной добавки в период беременности, чтобы предотвратить пороки развития нервной трубки. Проблема в том, что фолиевая кислота — не то же самое, что фолат, обнаруживаемый в реальной пище.

> Фолиевая кислота не содержится в натуральной пище, это синтетическая форма фолата, используемая в качестве ингредиента в витаминных добавках.

Фолиевая кислота в Соединенных Штатах и Канаде также добавляется в наиболее обогащенные, рафинированные зерновые продукты, такие как хлеб, рис и паста, в попытке заменить питательные вещества, потерянные во время обработки цельного зерна.

Поскольку фолиевая кислота добавляется в такое большое количество рафинированных зерновых продуктов, типичная диета совместно с мультивитаминами с легкостью приводит к высоким уровням потребления фолиевой кислоты. Слишком большое количество фолата, полученное естественным путем из пищи, не вызывает опасения, только синтетическая форма под подозрением.

Ученым до сих пор неизвестны последствия циркуляции в организме синтетической фолиевой кислоты, но появляется все больше и больше свидетельств, что введение добавок с фолиевой кислотой увеличивает частоту заболеваний определенными видами рака.

Фолат имеется в избытке во всех зеленых овощах. Мы не нуждаемся в добавках с синтетической фолиевой кислотой, чтобы удовлетворить наши повседневные потребности в фолате. Вот несколько примеров богатой им пищи (в качестве ориентира рекомедуемая дневная норма фолата равна 400 мкг).

БОГАТЫЕ ФОЛАТОМ ПРОДУКТЫ (содержание фолатов в мкг)	
Спаржа (1 ½ чашки, вареная)	402
Эдамаме[1] (1 чашка, вареные)	358
Чечевица (1 чашка, вареная)	358
Брокколи (2 чашки, вареная)	337
Нут (1 чашка, вареный)	282
Фасоль адзуки (1 чашка, вареная)	278
Салат Ромэн (3 чашки, сырой)	192
Брюссельская капуста (2 чашки, вареная)	187
Шпинат (3 чашки, сырой)	175

Последние исследования продемонстрировали существенные опасения, связанные с фолиевой кислотой.

♦ Женщины, которые дополнительно принимали фолиевую кислоту во время беременности и за которыми наблюдали исследователи в течение 30 лет, имели в два раза больше шансов умереть от рака груди.

♦ Другое исследование, в котором наблюдение за женщинами велось в течение 10 лет, привело к заключению, что те, кто принимал мультивитамины, содержащие фолиевую кислоту, увеличили риск заболевания раком груди на 20–30%.

♦ Прием дополнительных доз фолиевой кислоты беременными женщинами некоторые исследователи связывали с повышением частоты случаев астмы в детском возрасте, инфекций дыхательных путей в младенчестве и пороков развития сердца.

---

[1] Эдамаме — молодые соевые бобы. Их название переводится с японского как «бобы с веток» и дано из-за характерной особенности произрастания бобовых стручков — гроздьями на ветках куста сои.

♦ Среди мужчин, принимавших добавки, содержавшие фолиевую кислоту, более 3 лет, на 35% увеличился риск заболевания раком кишечника, при увеличении числа предраковых колоректальных аденом, согласно метаанализу нескольких контролируемых исследований, проведенных методом случайной выборки.

♦ В ходе 10-летних исследований была выявлена связь дополнительного приема фолиевой кислоты с более чем двукратным повышением риска заболевания раком простаты по сравнению с приемом плацебо.

♦ В двух исследованиях, где сравнивалось использование добавок с фолиевой кислотой и плацебо, после 9-летнего периода изучения обнаружилось, что в группе принимавших фолиевую кислоту возросла смертность от различных видов рака и смертность по всем причинам.

Недавно в Норвегии, где не обогащают муку фолиевой кислотой, исследователи провели 6-летний опыт по снижающим уровень гомоцистеина воздействиям витаминов группы B у пациентов с сердечными заболеваниями. Неожиданно они обнаружили, что участники эксперимента, получавшие добавки, которые содержали фолиевую кислоту, имели на 43% больше шансов умереть от рака. Напротив, повышенные уровни потребления получаемого из пищи фолата ассоциируются со снижением заболеваемости раком груди и простаты. Конечно, когда вы получаете фолат из овощей, вы в процессе этого одновременно получаете 1000 других питательных веществ, полезных для борьбы с раком.

Как я уже заявлял, авторитеты в области здоровья подчеркивали критическую необходимость приема добавок с фолиевой кислотой в период беременности с целью предотвратить пороки развития спинного мозга. Почти все женщины осведомлены об этих рекомендациях, и это подчеркивается всеми врачами. Является ли это правильным подходом? Я думаю, сейчас ясно, что это была и есть большая ошибка. Вместо этого авторитеты в области здоровья должны были бы подчеркивать необходимость для женщин, ожидающих ребенка, съедать ежедневно немного зелени и бобовых. Наша сегодняшняя система, в которой женщины полагаются на таблетки, а не на реальную пищу, ведет к обилию серьезных проблем, связанных со здоровьем детей. Дети женщин, получавших больше фолатов с пищей во время беременности, с меньшей вероятностью развивался синдром дефицита внимания и гиперактивности (СДВГ). Еще более потрясающим является снижение заболеваемости детей раком вследствие употребления их матерями содержащих фолаты зеленых овощей, а не добавок с фолиевой кислотой. Отстаиваемая мной точка зрения следующая: опора на фолиевую кислоту в период беременности вместо просвещения женщин о важности употребления натуральной пищи для удовлетворения их потребности в фолатах дает разрешение на эпидемию детской лейкемии, которую легко можно было бы предотвратить. Женщины должны также отдавать себе отчет, что мясные продукты промышленной обработки, употребляемые во время беременности и даже в течение года до зачатия, увеличивают риск их ребенка заболеть раком, включая лейкемию и опухоли мозга.

Получение достаточного количества фолатов из натуральных продуктов может не допустить начала развития раковых заболеваний, исправляя ошибки в ДНК, но фолиевая кислота, оказывается, создает благоприятные условия для развития опухолей и способствует онкогенезу. В свете этого исследования я не включаю фолиевую кислоту в свой комплекс мультивитаминов или пренатальных добавок. Я не рекомендую беременным женщинам принимать пренатальные добавки, содержащие фолиевую кислоту.

Я настоятельно рекомендую пройти проверку крови на фолатную достаточность прежде, чем даже планировать беременность, и я настоятельно рекомендую диету с высоким содержанием фолатов, богатую зелеными овощами. Питание, включающее регулярное употребление зеленых овощей, — наиболее безопасный путь, чтобы защитить вашего ребенка, обеспечить защиту от рака, заболеваний сердца и смертности по всем причинам.

Медь и железо

Недавние исследования показали, что излишек меди может быть связан с пониженной функцией иммунитета и более низким антиоксидантным статусом. Недавно опубликованная исследовательская работа также указывает, что потребление большого количества меди и питание, богатое насыщенными и транс-жирами может привести к ускорению ослабевания умственных способностей в пожилом возрасте. Осторожность здесь оправданна, и разумно не пользоваться добавками, содержащими медь.

Железо также не следует использовать в виде добавок мужчинам и женщинам в период постменопаузы, у которых уже не бывает регулярной кровопотери.

Железо является окислителем и может способствовать инфекционным заболеваниям и даже увеличить риск сердечных приступов. Принимать его в качестве добавки следует только, если наличествует его нехватка или повышенная потребность в нем.

Во всем остальном отсутствуют свидетельства, что другие питательные вещества в пределах дозы, равной RDI (рекомендуемому ежедневному потреблению), обнаруживаемые в обычных мультивитаминных/ мультиминеральных препаратах, являются опасными.

Тем не менее необходимо отметить важный момент. Пищевые добавки не являются заменой здоровому питанию. В той степени, в какой они дают некоторым людям уверенность, что можно есть меньше полезной растительной пищи, они наносят ущерб, а не приносят пользу.

РОЛЬ ПРОБИОТИКОВ И ФЕРМЕНТИРОВАННЫХ ПРОДУКТОВ В ПИТАНИИ

Почти половину сухого веса нашего стула составляют бактерии. Вскоре после рождения пищеварительный тракт постепенно колонизируется примерно 30–50 различными видами полезных бактерий, чему способствуют факторы размножения бактерий, содержащихся в женском грудном молоке. Эти бактерии выполняют массу полезных функций, включающих подавление роста вредоносных организмов, тренировку иммунной системы для реакции на отдельные болезнетворные бактерии, детоксификацию и удаление вызывающих рак токсинов и производство питательных веществ, поддерживающих иммунную систему. Естественная, собственная бактериальная флора человеческого организма также защищает от аллергии и неполадок иммунитета, снижая всасывание не полностью переваренных белков.

Пробиотики — живые бактериальные организмы, которые, как считается, полезны при приеме внутрь.

Однако ограниченное число бактерий в пробиотиках и ферментированных продуктах — не то же самое, что местная бактериальная флора в кишечнике. Пробиотики играют благотворную роль прежде всего тогда, когда нормальная собственная бактериальная флора повреждена или убита применением антибиотиков или извращена современным питанием на основе сладостей и продуктами, подвергнутыми технологической обработке.

Нет опубликованных свидетельств того, что пробиотические добавки способны эффективно взять на себя все функции естественной бактериальной флоры человеческого кишечника, когда она уже уничтожена.

Пробиотики полезны после приема антибиотиков, но восстановление нормальных типа и количества флоры кишечника до прежнего состояния все-таки может занять многие месяцы.

Здоровая пища способствует заселению кишечника полезными бактериями, нездоровая — способствует росту вредных бактерий и дрожжевых форм. Однако если полезная для здоровья диета, богатая различными волокнами, не соблюдается постоянно, уровни наличия пробиотических бактерий падают до нуля в течение нескольких дней, когда прекращается их пополнение. Таким образом, то, что мы едим, все же является важнейшим фактором поддержания нашей кишечной флоры.

«Хорошие» бактерии пируют на волокнах и устойчивом крахмале, в то время как «плохие» бактерии и дрожжи наслаждаются рафинированным сахаром и животным жиром. Не существует замены здоровой диете, и при соблюдении принципов здорового питания и избегании суррогатной пищи и антибиотиков нет необходимости употреблять пробиотики или ферментированные продукты. Ваше тело вырастит нужный вид бактерий автоматически.

> Одной из сложностей лечения антибиотиками является вторичная инфекция, огромная проблема для больниц.

До недавнего времени не было понимания механизмов этого явления. Исследователи установили, как нормальная кишечная флора поддерживает иммунную систему в состоянии «боевой готовности» распознавать клеточные оболочки бактерий, так что малейшее изменение от нормальных к патогенным бактериям стимулирует немедленную атаку. Антибиотики отключают эту способность к распознаванию, и организм остается без одной из своих систем защиты. Пробиотики могут помочь обратить ситуацию вспять.

Если принимать антибиотики чаще одного раза в год, тогда, конечно, рекомендуется непрерывное использование пробиотиков, поскольку может потребоваться год или более, чтобы вновь восстановить нормальную бактериальную защиту. Большинству здоровых людей, соблюдающих правильную диету, никогда в жизни могут не потребоваться антибиотики, так как опасные бактериальные инфекции исключительно редки у людей с отличным иммунитетом. Пробиотические добавки могут быть предписаны и полезны при определенных условиях, таких как синдром раздраженного кишечника, аутоиммунные заболевания, аллергии, головные боли и повышенная концентрация дрожжевых микроорганизмов в кишечнике. Они также полезны для тех, кто не придерживается принципов здорового питания.

Более дюжины научных работ, посвященных эффективности пробиотиков в предотвращении вирусных инфекций, таких как простуда и грипп, было проведено со смешанными результатами. Большинство исследований показало некоторое снижение тяжести заболеваний и числа дней болезни среди участников, случайным образом распределенных по группам терапии.

Противоречивость данных доказывает, что пробиотики более полезны людям нездоровым, питающимся нездоровой пищей и не приносят пользы тем, кто имеет хорошее общее состояние здоровья и питается с пользой для него.

Здоровая диета с большим количеством зеленых овощей, грибов и бобовых, при условии избегать антибиотиков, обеспечит наличие достаточного количества благоприятных бактерий в вашем кишечнике для сохранения вашего здоровья и высокой работоспособности.

Нет необходимости есть ферментированные продукты, такие как йогурт и кефир, чтобы в пищеварительном тракте селились полезные бактерии. Тем не менее чем больше человек поглощает сладостей, пищи, подвергнутой промышленной обработке, и использует антибиотики, тем более вероятно, что ему потребуется постоянное пополнение этих бактерий с помощью пробиотиков.

> После использования антибиотиков пробиотики следует принимать длительное время, не менее трех месяцев.

Пробиотики хорошо переносятся взрослыми, беременными женщинами и детьми, даже недоношенными. Тем не менее их следует избегать пациентам с тяжелыми поражениями иммунной системы, такими, как ВИЧ или поздними стадиями рака, а также людям, проходящим курс химиотерапии.

УПОТРЕБЛЕНИЕ СОЛИ

Соль — это хлорид натрия. Она снабжает нас натрием, важным минералом, необходимым для правильного функционирования человеческого организма. Однако современная диета содержит опасно высокие количества натрия, почти 80% которого поступает из подвергнутой промышленной обработке и ресторанной пищи. Пищевой рацион человека в течение миллионов лет не содержал никаких добавок соли — только натрий, присутствующий в натуральных продуктах, который добавляет всего-навсего не более 100 мг натрия в день. Поступление натрия с пищей в США сегодня составляет около 3500 мг в день.

Наиболее известным последствием излишка соли в пище является повышение давления крови. В глухих уголках мира, жители которых не солят пищу, нет пожилых людей с высоким давлением крови. Для американцев вероятность развития повышения давления крови в течение жизни составляет 90%. Следовательно, даже если у вас давление крови сейчас в норме, если вы продолжите следовать типичной американской диете, вы окажетесь в группе с повышенным риском.

Повышенное кровяное давление является причиной 62% инсультов и 49% случаев ишемической болезни. В особенности риск сердечных приступов и инсультов начинает возрастать при росте цифр систолического давления (первая цифра в показателе давления крови) выше 115 мм рт.ст., считающегося «нормальными» в большинстве стандартов.

Даже если вы во всем остальном придерживаетесь здоровой диеты и ваши артерии свободны от атеросклеротических бляшек, гипертония к концу жизни повреждает нежные кровеносные сосуды мозга, повышая риск геморрагического инсульта.

Американская ассоциация кардиологов, признавая значительные риски высокого кровяного давления, недавно снизила рекомендуемый ею максимум ежедневного потребления натрия с 2300 мг до 1500 мг.

Соль также оказывает и другие опасные воздействия, не относящиеся к давлению крови. В 90-е гг. было обнаружено, что связь между потреблением соли и смертностью от инсульта теснее, чем связь между давлением крови и смертностью от инсульта; этот результат наводит на мысль, что соль может оказывать пагубное влияние на сердечно-сосудистую систему, не связанное с давлением крови.

Дальнейшие исследования определили, что поступающий с пищей натрий способствует избыточному росту клеток, приводящему к утолщению стенки сосуда и изменению выработки структурных белков, ведущим к потере эластичности кровеносных сосудов. В другом исследовании повышенный уровень потребления натрия связывался с утолщением стенки сонной артерии, точным предсказателем будущих сердечных приступов и инсультов, даже у людей, у которых давление крови в норме.

Высокий уровень потребления соли является также фактором риска в развитии остеопороза, поскольку излишек натрия, поступающего с пищей, способствует потере кальция с мочой, приводящей к потере содержащегося в костях кальция и, как следствие, сниженной плотности костной ткани. Прослеживается связь между показателями ежедневного приема кальция американцами и увеличенной потерей костной ткани бедра, а ограничение потребления натрия снижает показатели переломов костей. Даже при наличии богатой кальцием диеты высокий уровень потребления соли приводит в результате к чистой потере содержащегося в костях кальция.

Несмотря на то, что женщины в период постменопаузы наиболее уязвимы в отношении таких потерь, потребление соли в больших количествах у молодых девушек может препятствовать накоплению максимума костной массы в подростковом периоде, включая этих девушек в группу риска по остеопорозу в последующие периоды жизни.

Соль также является сильнейшим фактором, относящимся к раку желудка. Данные о потреблении соли, собранные в 24 разных странах, выявили существенную корреляцию с коэффициентом смертности от рака желудка. Дополнительные исследования обнаружили положительную зависимость между потреблением соли и заболеваемостью раком желудка. Диета с высоким содержанием соли также увеличивает рост бактерий, вызывающих язву (*H. pylori)* в желудке, что также является фактором риска в отношении рака желудка. Вызывает тревогу, что высокие дозы потребления натрия также коррелируют со смертью от всех причин.

> Уменьшение количества соли в рационе важно не только для тех, у кого давление уже повышено — ограничение добавляемой в пищу соли важно для всех нас, чтобы оставаться в добром здравии.

Так как натуральные продукты снабжают нас 600–800 мг натрия в день, разумно ограничить любые дополнительные поступления натрия сверх того, который содержится в натуральной пище, всего до нескольких сотен миллиграммов. Я рекомендую не более чем 1000 мг натрия в день. Это значит — не более 200–400 мг вдобавок к тому, что содержится в вашей натуральной пище.

Важно также отметить, что дорогие и экзотические морские соли — это все-таки соль. Вся соль происходит из моря — и морская соль на 98% состоит из хлорида натрия. В чайной ложке ее содержится то же количество натрия, что и в чайной ложке обычной соли.

Морские соли могут содержать малые количества микроэлементов, но эти количества ничтожно малы по сравнению с содержанием этих микроэлементов в натуральной растительной пище, и излишек натрия не становится волшебным образом менее вредным. Богатая питательными элементами диета, основанная на употреблении овощей, с малым количеством или отсутствием добавляемой соли является идеальной. Соль к тому же убивает вкусовые луковицы — это означает, что, когда вы будете избегать очень соленой и прошедшей промышленную обработку пищи, вы заново обретете способность замечать изысканные ароматы натуральных продуктов и действительно испытывать возвышенное наслаждение от естественной, непосоленной пищи.

Поскольку большая часть соли поступает из переработанных продуктов, избегать добавочного ее поступления в организм несложно. Воздерживайтесь от добавления соли к пище и покупайте бессолевые консервы и супы. Если вам надо солить свою пищу, делайте это после того, как она уже на столе и вы готовы съесть ее — она будет более соленой на вкус, если соль находится прямо на поверхности. Все приправы, такие как кетчуп, горчица, соевый соус, соус терияки и острый гарнир из мелко нарезанных маринованных овощей, содержат большое количество натрия. Используйте чеснок, лук, свежие или сушеные травы, специи национальных кухонь, лимонный или лаймовый сок или уксус для ароматизации пищи. Экспериментируйте, чтобы найти бессолевые приправы, которые вам понравятся.

ВОПРОСЫ О КОФЕ

Может ли полезная для здоровья диета включать кофе? Полезен ли кофе вам? Вначале хорошая новость. Появились сообщения о мистическом воздействии кофе, защищающем от диабета. В отчете о проведенном в 2010 г. метаанализе, в котором анализировались данные 18 исследований, говорится, что каждая добавочная чашка кофе, выпитая в течение дня, приводит к 7%-ному снижению риска заболеть диабетом. Это было удивительно, особенно потому, что употребление кофе, как обычного, так и без кофеина, как было показано, поднимало уровень глюкозы после еды, так что следовало ожидать, что он ухудшает течение диабета, а не помогает его избежать. Причина снижения риска диабета остается неясной, но, поскольку кофе вырабатывается из бобов темной окраски, похоже, антиоксиданты, минералы или другие биохимические соединения, присутствующие в кофе, могут быть ответственны за это полезное воздействие.

Имея это в виду, мы должны также помнить, что почти все участники исследований по данным наблюдений питались согласно стандартной американской диете и поэтому испытывали недостаток антиоксидантов и биохимических соединений.

Наиболее правдоподобным является то, что современный пищевой рацион настолько беден питательными веществами, что значительная порция принимаемых внутрь с пищей биохимических соединений поступает из утреннего кофе. Дополнительные исследования подтвердили эту возможность. Было показано, что хлорогеновая кислота и тригонеллин, два из имеющихся в кофе основных биохимических соединений, снижают концентрацию глюкозы и инсулина в крови, по сравнению с плацебо, после приема сахара. Таким образом, эти биохимические соединения, похоже, увеличивают чувствительность к инсулину, что объясняет благотворное действие.

Сомнительно, чтобы кофе как добавка к насыщенной полезными веществами пище давал какую-либо дополнительную защиту — отвечающие за это биохимические соединения могут быть получены из другой растительной пищи, и диета не будет такой бедной антиоксидантами. Например, черника содержит антиоксидант хлорогеновую кислоту, а фитоэстроген тригонеллин обнаруживается также в горохе, чечевице, сое и семенах подсолнечника. Кроме того, единственная причина, по которой кофе полезен, — серьезная недостаточность биохимических соединений растительного происхождения в рационе большинства современных людей.

Но только то, что кофе, как было показано, содержит некоторое количество полезных биохимических соединений, что создает некоторую защиту от того или иного заболевания, не делает кофе здоровой пищей.

Основной вопрос в том, что кофе — все-таки наркотик. Кофеин является стимулятором — он дает вам ложное чувство возросшей энергичности, позволяя обходиться недостаточным временем сна. В дополнение к продолжительности сна кофеин также уменьшает его глубину. Те, кто пьет содержащие кофеин напитки, вынуждены есть чаще, чем требуется, так как они ошибочно принимают симптомы при воздержании от кофеина, такие как пошатывание, головные боли, головокружение и слабость за последствия голода. Эти симптомы обезвреживания токсичных соединений легко могут быть по ошибке приняты за голод, поскольку прием пищи помогает ослабить их.

Невозможно воспринимать истинные сигналы вашего тела о голоде, если вы принимаете стимуляторы. Если вы действительно решите прекратить пить кофе, имейте в виду, что необходимо 4–5 дней, чтобы прекратились головные боли, связанные с прекращением приема кофеина, коль скоро вы перестали пить кофе. Если симптомы очень тяжелые, попытайтесь уменьшить количество выпиваемого кофе постепенно.

> Снижение веса — более важная цель для общего состояния вашего здоровья, чем исключение кофе из рациона. Тем не менее включение в него кофеина не облегчает контроля над аппетитом и тягой к съестному, а, наоборот, затрудняет.

Кофе без кофеина также содержит в себе риски. Химические вещества, используемые для удаления кофеина, могут быть опасны. Прослеживается связь между употреблением кофе без кофеина и развитием ревматоидного артрита, возможно, из-за добавок, удаляющих кофеин. По этой причине, вероятно, безопаснее пить кофе без кофеина, удаленного с помощью обработки водой, если вы сделали такой выбор.

Основная идея написанного здесь в том, что кофе может быть полезным и вредным, но его сильная способность вызывать привыкание, головные боли при прекращении приема и повышать давление крови должны вызывать осторожность тех, кто пьет его. Наиболее вероятные факторы риска почти никогда не упоминаются в информационных сообщениях.

Проще говоря, кофе больше похож на лекарство, чем на пищу. И, как большинство лекарств, он может приносить некоторую пользу, но его токсическое воздействие и проистекающие отсюда опасности могут свести на нет эти преимущества. Кофеин является стимулятором, а наиболее последовательный путь достижения долгой жизни и сохранения здоровья — избегать стимуляторов и лекарств. Я не думаю, что кому-либо следует надеяться на кофе, пытаясь защититься от диабета или рака. Если вы все-таки твердо решили пить кофе, остановите свой выбор на кофе без кофеина, полученном с помощью обработки водой (без химикатов), и, конечно, не притрагивайтесь к пончикам.

ДЕБАТЫ О СОЕ

Восточное, или азиатское население имеет более низкий коэффициент заболеваемости болезнями, связанными с гормонами, такими как рак молочной железы, матки и предстательной железы. Существовало предположение, что одной из причин этих различий в коэффициентах заболеваемости является потребление сои. Женщины, рожденные в Азии и переехавшие в США, имеют более низкие риски заболеваемости раком молочной железы, возможно, благодаря раннему обращению к сое. Однако, по всей видимости, соя представляет только один из факторов, влияющих на риск заболевания раком; сейчас уже известно, что именно действие многих способствующих факторов делает диету противораковой. Сейчас уже очевидно, что соевый рацион питания в подростковом возрасте, в тот период, когда ткани молочной железы наиболее чувствительны к внешним стимулам и онкогенезу, может снизить риск заболевания раком молочной железы позже. Последние доклады в «Cancer Epidemiology» и в «Clinical Nutrition»[1] показали, что потребление сои в детском и подростковом возрасте снижает риск заболевания раком молочной железы в зрелом возрасте на 60% и 40% соответственно.

Соевые бобы богаты изофлавинами, один из типов фитоэстрогена. Фитоэстрогены являются растительными субстанциями, которые химически подобны эстрогену, и, поскольку более высокие уровни эстрогена способствуют развитию рака молочной железы, существует предположение, что соя может также

---

[1] «Эпидемиологии рака», «Лечебное питание» — американские журналы.

оказывать отрицательное влияние на рак молочной железы. Сейчас уже известно, что в действительности фитоэстрогены в сое блокируют влияние собственного эстрогена организма. Несмотря на мифы, распространяемые в Интернете, самые последние и надежные клинические исследования подтверждают защитный эффект соевой пищи, прошедшей минимальную обработку, от рака молочной железы. В 2006 г. метаанализ, проведенный в журнале Национального онкологического института, в котором исследовались данные 18 научных работ по сое и раку молочной железы, опубликованных за период с 1978 по 2004 г., подтвердил заключение, что соя имеет общий защитный эффект. Кроме того, в 2008 г. другой метаанализ, проведенный «British Journal of Nutrition»[1], в котором были собраны данные из 8 различных научных исследований (не включенных в метаанализ 2006 г.), также привел к заключению, что потребление сои снижает риск заболевания раком молочной железы. Указанные эффекты были дозо-зависимыми — 16%-ное снижение риска заболеваемости при ежедневном потреблении 10 мг изофлавинов сои.

Соя имеет защитный эффект даже после постановки диагноза «рак молочной железы». Новое исследование выживших после заболевания раком молочной железы показало, что для употреблявших сою больных, выживших после заболевания раком молочной железы в предклимактерический период, опасность рецидивов сократилась на 23%.

Соя также обеспечивает защиту против других видов рака, связанных с гормональными нарушениями. Метаанализ исследований зависимости потребления сои и рака предстательной железы показал 31%-ное снижение риска заболевания при потреблении соевых продуктов в больших количествах. Кроме того, было показано, что соя обладает защитными свойствами против рака эндометрия и яичников.

---

[1] Британский журнал лечебного питания.

Соевые продукты, такие как тофу и соевое молоко, могут быть полезны при переходе на диету, основанную на растительной пище с менее насыщенными жирами, меньшим количеством белка животного происхождения, и большим количеством белка растительного происхождения, фруктов и овощей. В США большая часть потребления сои, которое намного ниже по сравнению с азиатскими странами, приходится на биологически-активные добавки на основе сои или отдельный соевый белок в подвергнутой интенсивной обработке пище.

А пища, подвергнутая интенсивной обработке, безусловно, не способствует оздоровлению, даже если содержит сою.

> К самой здоровой пище можно отнести соевые продукты с минимальной обработкой. К ним можно отнести эдамамэ, вареные зеленые соевые бобы в стручках, тофу, неподслащенное соевое молоко и темпе, индонезийские лепешки из ферментированных соевых бобов.

Следует знать, что соевые орешки и продукты, прошедшие интенсивную обработку, сохраняют относительно мало целебных соединений и ненасыщенных жирных кислот по сравнению с тем, что содержат натуральные бобы. Чем большей обработке подвергаются продукты, тем больше полезных соединений разрушается. Соевые продукты, прошедшие минимальную обработку, представляют целебную добавку к здоровому питанию. Я не рекомендую употреблять соевые продукты в больших количествах в надежде снизить опасность заболевания раком. Здоровое питание предусматривает разнообразные бобы, каждый из которых содержит целебные противораковые соединения, а не диспропорциональное распределение потребляемых калорий в пользу сои.

Я всегда рекомендую употреблять широкое разнообразие продуктов, богатых фитохимическими соединениями для повышения здоровья. Бобы не являются исключением — постарайтесь есть различные бобы, включая и соевые.

Продукты, подвергшиеся интенсивной обработке, нельзя считать здоровой пищей из-за низкого уровня питательности, большого содержания соли, акриламидов и других токсичных добавок.

Вегетарианцы и веганы, которые регулярно едят индейку из тофу, соевые бюргеры, соевое мороженое, соевые хот-доги, соевый сыр и другие производные из сои продукты, подвергшиеся интенсивной обработке, безусловно, не имеют здорового питания. Отдельный соевый белок — это продукт, подвергшийся интенсивной обработке, все питательные микроэлементы которого потеряны в процессе этой обработки. Ключом к хорошему здоровью является употребление в пищу необработанных продуктов, поскольку их плотность питательности на одну калорию достаточно высока.

КАК ЛУЧШЕ ВСЕГО ВКЛЮЧАТЬ ОМЕГА-3 В ПИТАНИЕ

В американском питании, безусловно, слишком мало полиненасыщенных жирных кислот ряда Омега-3 и слишком много Омега-6. Омега-3 – это полезные жиры, уменьшающие воспаление, задерживающие развитие рака и защищающие наш мозг и кровеносные сосуды.

Основным строительным блоком полиненасыщенных жирных кислот ряда Омега-3 является альфа-линоленовая кислота (ALA).

Эта кислота содержится в большинстве орехов и семян, но особенно ею богаты семена льна, конопли, чиа, грецкие орехи, листовая зелень. Большинство людей не получают достаточного количества ALA из питания.

Льняное и конопляное семена являются продуктами с наивысшей концентрацией этой существенно важной жирной кислоты. Помимо полиненасыщенных жирных кислот ряда Омега-3, эти семена также содержат биохимические элементы, антиоксиданты и волокна, оказывающие благотворное воздействие, подавляя развитие рака молочной железы, простаты и толстой кишки. Однако эти защитные питательные вещества и борющиеся с раком лигнины не присутствуют в достаточном количестве только в цельных зернах, а в растительных маслах их мало. Льняное семя перед употреблением лучше помолоть в мелкий порошок, иначе его трудно прожевать. После помола семя следует хранить в морозильнике, чтобы оно всегда оставалось свежим.

Ненасыщенные жирные кислоты ряда Омега-3 короткой цепочки, содержащиеся в семенах, орехах и зелени, являются строительными блоками ненасыщенных жирных кислот более длинной цепочки — докозагексаеновой кислоты (ДГК), которые необходимы нашему организму для надлежащего функционирования мозга, нервной и иммунной системы. Помимо вырабатываемых нашим организмом альфа-аминопропионовой кислоты, эйкозапентаеновой кислоты (ЭПК) и докозагексаеновой кислоты (ДГК), их можно обнаружить в рыбе и рыбьем жире.

Зелень, грецкие орехи и семена являются поставщиками альфа-линоленовой кислоты (ALA)

$$ALA \rightarrow \text{ЭПК} \rightarrow \text{ДГК}$$

Рыба и водоросли обеспечивают эйкозапентаеновой кислотой (ЭПК) и докозагексаеновой кислотой (ДГК).

Раньше рыба и рыбий жир были единственным источником эйкозапентаеновой кислоты (ЭПК) и докозагексаеновой кислоты (ДГК), но с недавнего времени ЭПК и ДГК можно получить и из растительных источников, выделенных из Омега-3 содержащих водорослей, растущих в закрытом грунте, в чистых и контролируемых комнатных условиях.

Мы не нуждаемся в больших количествах эйкозапентаеновой и докозагексаеновой кислоты, но в случае их недостатка в организме могут возникнуть проблемы.

С низким уровнем эйкозапентаеновой (ЭПК) и докозагексаеновой кислоты (ДГК) связано следующее:

♦ Сердечные заболевания

♦ Депрессия

♦ Рак

♦ Беспокойство/тревога

♦ Болезнь Альцгеймера

♦ Гиперактивность

♦ Синдром дефицита внимания

♦ Аллергии

♦ Аутоиммунная болезнь

♦ Дерматологические нарушения

♦ ВБК

Ученым уже давно было известно, что человек может преобразовывать полиненасыщенные жирные кислоты ряда Омега-3 короткой цепочки (альфа-аминопропионовая кислота — ALA) из семян и зелени в ценные эйкозапентаеновой и докозагексаеновой кислоты. Вопрос заключается в том: можно ли достичь их оптимального уровня, без употребления в пищу рыбы? Исследования показали, что люди имеют разные способности преобразовывать кислоты ряда Омега-3 в докозагексаеновую кислоту, поэтому ответ таков: некоторые люди могут получать достаточное количество полиненасыщенной жирной кислоты ряда Омега-3 из зелени, льна и грецких орехов, а организм других не вырабатывает оптимального количества. Организм мужчины обычно преобразует меньшее количество, чем женский, и эта способность снижается с возрастом, поэтому для пожилых мужчин добавки могут быть особенно важны.

Рыба богата жирными кислотами ряда Омега-3, но она представляет собой концентрированный животный белок и аккумулирует загрязняющие вещества. Употребление в пищу слишком большого количества животного белка поднимает уровень ИФР-1 (инсулиноподобного фактора роста), который связан с раком. В отношении загрязняющих веществ в рыбе Агентство по охране окружающей среды в первую очередь предупреждает о наличии ртути, полихлоритната бифенила (PCB), хлордана, диоксинов и дихлордифенилтрихлорэтана (ДДТ).

Высокий уровень полихлоритната бифенила, хлордана, диоксинов, обнаруженный в жировых отложениях тела человека ассоциируется с 3 – 10-кратным повышением опасности заболеваемости раком. Сброс токсичных отходов в наши океаны определенно наносит большой урон. Таким образом, поскольку ДГК представляет определенно полезный жир, нам необходимо пересмотреть источники, где его найти.

> Из-за высокой степени загрязнения рыбы по сравнению с другими продуктами нужно серьезнее отнестись к обычным рекомендациям служб здравоохранения употреблять в пищу больше рыбы.

Как показано в некоторых исследованиях, увеличение потребления рыбы связано с небольшим повышением коэффициента заболеваемости диабетом, а также повышением риска рака предстательной железы и рака молочной железы.

После многих лет изучения свидетельств и записи уровней ртути в организмах пациентов, которые неизменно соотносились с их потреблением рыбы, я советую есть мало рыбы или не есть ее вообще и настоятельно рекомендую не употреблять рыбу с заметно высоким содержанием ртути, такую как акула, рыба-меч, скумбрия, щука и луфарь.

К тому же содержание ДГК значительно отличается в различных видах рыб. Рыба, выращенная искусственным путем, такая как тилапия, почти не содержат ДГК, и даже некоторые виды лососевых (особенно выращенных искусственным путем).

Если вы стараетесь не есть рыбу и вместо этого употребляете рыбий жир, у вас все же остается проблема. Одна из проблем с рыбьим жиром заключается в том, что большая часть жира уже прогоркла. Если разрезать капсулу и понюхать жир, вы обнаружите, что он пахнет бензином. Часты жалобы на отрыжку, расстройство пищеварения, запах рыбы при дыхании. Кроме того, по моим наблюдениям, прогорклость рыбьего жира вызывала стресс печени, даже нарушение функции печени.

> При использовании рыбьего жира необходимо убедиться, что он очищен и сертифицирован на отсутствие в нем ртути, а также вскрыть капсулу и попробовать масло, убедиться, что оно не испорчено.

Не каждому человеку требуется дополнительно употреблять ЭПК и ДГК; установить это поможет анализ крови. Но поскольку этот анализ недоступен широким кругам, большинство из нас может убедиться в отсутствии дефицита ЭПК и ДГК без использования рыбьего жира, просто добавив небольшое количество ЭПК или ДГК растительного происхождения.

Сегодня можно найти ДГК, культивированный в лабораторных условиях из микроводорослей, выращенных в закрытом грунте или дикорастущих водорослей, свободных от ртути и токсинов. Недавно рандомизированное исследование с контролем плацебо показало, что ежедневное употребление 100 мг ДГК повышает показатель Омега-3 с 4,8 (низкий) до 8,4 (оптимальный) %, демонстрируя, что даже относительно малая доза чистого ДГК, принимаемая ежедневно, так же эффективна, как значительно большее количество рыбьего жира.

Рак представляет комплексную болезнь, и когда мы рассматриваем всю картину в целом, следует соблюдать осторожность с любыми добавками, включая жиры Омега-3. Больше, чем это необходимо, не значит лучше, когда дело касается ненасыщенных жирных кислот вида Омега-3. Однако дефицит требуемых организму питательных веществ никогда не способствовал здоровью.

В заключение можно сказать: для обеспечения нужного количества Омега-3, если анализ крови не определяет иначе, я рекомендую 100–200 мг ДГК в день. Плюс 1 столовая ложка семени льна для обеспечения ALA. Избыток и недостаток любых питательных веществ одинаково вредны.

ЭКОЛОГИЧЕСКИ ЧИСТЫЕ ФРУКТЫ И ОВОЩИ. ОПАСНОСТЬ ПЕСТИЦИДОВ

Согласно отчетам Агентства по охране окружающей среды большинство используемых в настоящее время пестицидов является возможной и вероятной причиной раковых заболеваний. Исследования, проводимые среди рабочих, работающих на ферме с пестицидами, предположили связь между пестицидами и раком мозга, болезнью Паркинсона, множественной миеломой, лейкемией, лимфомой и раковыми заболеваниями желудка и предстательной железы.

Под вопросом остается степень риска при низком уровне пестицидов в нашей пище.

Ранее проводимые исследования, выполненные на большом количестве продуктов, прошедших обычную обработку пестицидами, показали, что употребление продуктов, экологически чистых или нет, связано с понижением коэффициента заболеваемости раком и повышением защиты от заболевания. Это подразумевало, что польза для здоровья от употребления пищи, богатой фитохимическими элементами, значительно перевешивает любые риски, которые несут остаточные пестициды. Точно так же некоторые ученые заявляли, что крайне низкий уровень остаточных пестицидов в продуктах не имеет значения, и что в природе токсины присутствуют во всех наиболее значительных продуктах.

Эта точка зрения уже считается полностью точной, поскольку недавние исследования документировали существование связи между пестицидами, поглощаемыми с пищей и определенными заболеваниями.

> Воздействие органофосфатов (пестициды органофосфатов используются при выращивании зерновых культур, включая кукурузу, а также яблок, груш, винограда, ягод и персиков) связано с гиперактивностью, проблемами поведения, нарушениями развития у детей.

Некоторые пестициды оказывают вредное воздействие на мозг, что вносит вклад в развитие болезни Паркинсона, включая ротенонте и паракуат. Такие пестициды используются для различных зерновых культур, а органохлорины обнаружены в первую очередь в жирных продуктах, таких как мясо, рыба и молочные продукты.

Если вас волнует проблема пестицидов и химикатов, имейте в виду, что продукты животного происхождения, такие как молочные продукты, рыба и говядина, содержат наибольшее количество токсичных химических остатков.

Поскольку коровы и быки едят много загрязненной пищи, в продуктах животного происхождения обнаружено большое количество определенных пестицидов и опасных химикатов в большой концентрации. Однако, сконцентрировав свое питание на нерафинированных растительных продуктах, вы автоматически снижаете воздействие на организм многих опасных химикатов.

> Лучше есть фрукты и овощи, выращенные и собранные при использовании пестицидов, чем не есть их вообще, но будет благоразумнее минимизировать воздействие пестицидов на наш организм.

Группа сторонников охраны окружающей среды представила список продуктов под названием «Грязная дюжина» (с наиболее высоким содержанием пестицидов) и список «Чистые 15» (с наиболее низким содержанием пестицидов). Ниже приводятся последние из этих списков.

ПРОДУКТЫ С НАИБОЛЕЕ ВЫСОКИМ СОДЕРЖАНИЕМ ПЕСТИЦИДОВ	ПРОДУКТЫ С НАИБОЛЕЕ НИЗКИМ СОДЕРЖАНИЕМ ПЕСТИЦИДОВ
По возможности покупайте экологически чистые	*Покупайте экологически чистые или обычные*
♦ Сельдерей	♦ Лук репчатый
♦ Персик	♦ Авокадо
♦ Клубника	♦ Кукуруза
♦ Яблоко	♦ Ананас
♦ Голубика	♦ Манго
♦ Нектарин	♦ Зеленый горошек
♦ Перец сладкий	♦ Спаржа
♦ Шпинат	♦ Киви
♦ Кале	♦ Капуста белокочанная
♦ Вишня	♦ Баклажаны
♦ Картофель	♦ Дыня мускусная
♦ Виноград (импортный)	♦ Арбуз
	♦ Грейпфрут
	♦ Картофель молодой
	♦ Дыня позднеспелая

Если у вас нет возможности покупать экологически чистые фрукты и овощи, имеет смысл снимать кожицу и кожуру с фруктов и чистить картофель. Удаляйте и выбрасывайте внешние листья салата-латук и капусты, если они выращены не в экологически чистой среде, а поверхность других растений, с которых невозможно снять верхний слой, необходимо тщательно промыть водой с мылом или имеющимся в продаже средством для мытья овощей.

Когда мы покупаем экологически чистые продукты, мы сводим к минимуму воздействие пестицидов на наш организм, а кроме того, мы сводим к минимуму воздействие пестицидов на окружающую среду. Органическое земледелие более дружелюбный к окружающей среде выбор. По утверждениям Министерства сельского хозяйства, органическое земледелие «объединяет культурную, биологическую и механическую практику, что стимулирует цикличность ресурсов, поддерживает экологический баланс и сохраняет разнообразие биологических видов».

Поддержка органического земледелия повысит спрос на экологически чистые продукты и снизит процент фермерских земель (и фермерских рабочих), потенциально подвергающихся вредному воздействию сельскохозяйственных ядохимикатов.

Экологически чистые продукты обычно имеют больше питательных веществ — особенно минералов и антиоксидантов, — чем обычные продукты.

Показано, что экологически чистые яблоки, сливы, голубика, виноград, клубника и кукуруза имеют более высокие антиоксидантные возможности, чем их обычные аналоги. Даже выявлено, что экологически чистая клубника обладает большей противораковой активностью, чем обычная клубника.

Ученые выдвинули теорию, что когда растения растут без пестицидов, они вынуждены бороться со стрессовым воздействием насекомых, что заставляет их вырабатывать больше антиоксидантных соединений, благотворно влияющих на организм человека. Покупать экологически чистые продукты — мудрый выбор, потому что экологически чистые продукты вкуснее, а органическое земледелие защищает фермеров и окружающую среду.

СУПЕРИММУНИТЕТ И АУТОИММУННЫЕ БОЛЕЗНИ. НОВАЯ НАДЕЖДА

Когда наша иммунная система работает как положено, она становится нашим внутренним оружием, защищая наши жизни и предохраняя нас все время. Однако за годы злоупотреблений в питании она не только теряет свои защитные функции, но в действительности и сама может атаковать нормальные клетки вместе с микробами и создавать новообразования клеток. Когда иммунная система атакует кожу, связанные и внутренние органы, это называется аутоаллергической болезнью. Псориаз, волчанка, ревматоидный артрит и болезни соединительных тканей являются ее примерами, но существует около сотни клинических синдромов, рассматриваемых как аутоаллергическая или аутоагрессивная болезнь.

Болезни ВБК, такие как гранулематозная болезнь или неспецифический язвенный колит, тоже относятся к аутоаллергическим болезням, хотя обычно они не классифицируются как ревматологические, потому что обычно ими занимаются гастроэнтерологи, а не ревматологи.

Тем не менее это подобные болезни, маркеры видны в крови и относятся к тому же классу, что и системные аутоиммунные нарушения.

Я успешно лечил и докладывал о положительных результатах пациентов, страдающих от аутоаллергических болезней посредством вмешательства в рацион питания более 20 лет. В последнем обзоре членов DrFuhrman.com, было опрошено 16 человек, страдающих ревматоидным артритом, и все они сообщили о значительных улучшениях в симптомах, и половина из них сообщила о полном разрешении симптомов. Очевидно, не все пациенты с такими болезнями могут добиться полного выздоровления немедикаментозными способами лечения. Однако поразительно то, что мой опыт позволяет мне убедить их с приемлемой степенью определенности, что их состояние, скорее всего, улучшится и во многих случаях проблема будет разрешена.

Это не только мои выводы — в медицинской литературе имеется много докладов относительно эффективности питания на основе растительных продуктов или диеты веганов в лечении аутоаллергических болезней. Я полагаю, что улучшение рациона питания продуктами, богатыми микроэлементами, поддерживающими иммунитет, особенно зелеными овощами семейства крестоцветных, прибавляет потенциал для дальнейшего выздоровления. Рацион питания, богатый питательными микроэлементами и антиоксидантами, служит ключом к восстановлению иммунной системы.

Наше понимание механизма и причин совершенствуется, а вместе с ним повышается наша способность понимания факторов, создающих благоприятную среду для улучшения и исцеления от аутоаллергических болезней. Научное обоснование лечения питанием от аутоаллергических болезней состоит в исключении токсинов и избыточной пищи, и одновременно обеспечении факторов питательности высокого уровня, что позволяет нормализовать сбои (избыточность) иммунной реакции, которая слишком остро реагирует на стимулы и не отключается.

Несмотря на отличные клинические результаты, публикации случаев из практики и статьи в медицинских журналах, документирующие благоприятные результаты при вмешательстве в рацион питания, медицинские службы и большая часть научно-исследовательских центров не интересуются изучением лечебного питания как терапии при ревматологических заболеваниях.

Очень трудно выступать против укоренившегося статус-кво, использующего и тестирующего медицинские препараты как единственный способ лечения.

Если бы мой подход к лечению аутоиммунных болезней использовался при обучении в медицинских вузах и в программах подготовки врачей-специалистов, основные лечащие врачи и врачи первичной медико-санитарной помощи могли бы начинать лечение пациента с применения метода лечебного питания при первых признаках заболевания аутоиммунной болезнью, вместо того чтобы прописывать лекарственные препараты пожизненного применения с опасными побочными эффектами. В настоящее время я работаю над научно-исследовательским проектом лечебного питания при nutritionalresearch.org[1], чтобы реализовать эти более всеобъемлющие исследования.

> У меня была волчанка в течение 20 лет. Я принимала множество лекарственных препаратов в больших дозах и все же проживала жизнь в заключении, изоляции и боли, много потерянных лет. Многие годы я вела поиск в Сети в надежде найти что-нибудь другое. За эти годы я прошла курс иглоукалывания, мануальной терапии, управления стрессом, делала массаж, упражнения, принимала витамины, травы, различные масла, включая рыбий жир, пила антибиотики и прошла другие курсы лечения. Я так благодарна, что нашла доктора Фурмана. Благодаря ему сегодня я живу нормальной жизнью, полной энергии! Боль в суставах прошла, я больше не принимаю никаких лекарств.
>
> *Черил Платт*

Обычно пациенты приходят ко мне на прием с волчанкой или ревматоидным артритом и рассказывают подобные истории. Их доктора обычно приходят в ярость от одного предположения возможности применения метода лечебного питания в решении их проблем. Приведенный ниже рассказ Дебры Блэк довольно типичен.

> Несколько месяцев я замечала большую утомляемость и слабость. А после того как меня направили к дерматологу по поводу сыпи на лице, поставили диагноз «волчанка». Дерматолог без всяких разговоров назначил мне несколько лекарственных препаратов. Я спросила врача о рисках, связанных с применением этих лекарств. И мне сказали, что я должна принимать их на протяжении всей оставшейся жизни, и, если я не буду этого делать, волчанка может атаковать суставы и почки и даже убить меня. Я ушла вся в слезах. В поисках иных путей я пошла на прием к доктору Фурману. Он рассказал мне об успехах в лечении волчанки методом лечебного питания и был уверен, что сможет мне помочь. Он сослался на несколько медицинских

[1] Англоязычный сайт американского фонда исследований продуктов питания.

исследований, подтверждающих эффективность этого метода лечения, и сказал, что большинство врачей просто не интересуются ничем, кроме лекарственных препаратов. Мне было нечего терять. Я стала следовать диете доктора Фурмана на растительной основе со смешанными салатами, соками из свежих овощей, овощными супами с фасолью, луком, грибами, зеленью и большим количеством ягод и семян. Также он научил меня готовить его вкуснейшие супы. Он назначил мне три отдельные пищевые добавки и расписал для меня план, подробно объяснив, что есть и чего не есть. И я приступила к этому плану с огромным энтузиазмом.

Через шесть дней выполнения программы доктора Фурмана я почувствовала себя «странно», будто у меня внутри солнечный ожог. Моя кожа горела и зудела. В панике я позвонила доктору Фурману. Он был очень доволен и сказал: это хороший знак, что это произошло так быстро. Что мой организм освобождается от моей предыдущей токсичной диеты и происходит детоксикация. Он объяснил, что это первый шаг к исцелению страшной сыпи на лице. Еще через несколько дней значительно уменьшилась боль и тугоподвижность. Я не могла поверить, я чувствовала себя так хорошо и так быстро. Через месяц дискоидная сыпь на коже (вызванная волчанкой) исчезла. Я выглядела и чувствовала себя блестяще. Все отмечали, что я хорошо выгляжу. Моя кожа стала мягкой и гладкой; я снова чувствовала себя хорошо.

Я опять пошла к дерматологу в нетерпении поделиться своей историей. Он пришел в ярость и накричал на меня. «Нелепый вздор», — сказал он. И приказал убираться из его кабинета.

Дебра Блэк

Достижение оптимального здоровья за счет умело составленного рациона питания дает человеку с аутоиммунными нарушениями единственную возможность полного восстановления без применения медицинских препаратов. Во многих случаях существенно помогает одна только вегетарианская диета.

Важно иметь в виду, что пища является нашим основным контактом с внешней средой, и выбор продуктов питания может модулировать нашу иммунную систему в положительном и отрицательном направлениях.

Помимо токсичных по своей природе веществ, которые могут попадать с пищей, частично перевариваемые животные белки могут впитываться в циркуляцию, играя значительную роль в развитии чрезмерного гуморального иммунного ответа, способствующего развитию аутоиммунных болезней.

Однако в большинстве случаев для повышения эффективности лечения требуются особые изменения в рационе питания наряду с питательными добавками. В течение последних 15 лет я занимаюсь лечением пациентов с антиимунными болезнями и помог сотням больных. Я обнаружил, что большой процент пациентов достигают положительных результатов, если используют высокопитательную программу, богатую зеленью. И особенно из семейства крестоцветных, таких как капуста, брокколи, листовая капуста в сочетании с некоторыми полезными питательными добавками. Аутоимунный протокол имеет некоторые важные характеристики:

1. Высокопитательная вегетарианская диета, богатая зелеными овощами.
2. Смешанные салаты и/или овощные соки (используя листовую зелень) для увеличения поглощения полезных фитохимических составов.
3. Добавки, содержащие ЭПК и ДГК.
4. Добавки для восстановления микрофлоры кишечника.
5. Природные противовоспалительные травы и содержащиеся в них вещества, такие как куркума, кверцетин, имбирь и биофлавоноиды.
6. Мультивитамины/минералы, плюс дополнительно добавки с витамином D.
7. Исключение из питания соли, пшеницы, масел и концентрированных сладостей.

Возможность достижения значительного улучшения и даже полного излечения от этих предположительно неизлечимых болезней просто поразительна. Такие пациенты обычно имеют сильную мотивацию выздороветь и дружелюбно относятся к любым изменениям для поддержки здоровья, которые могут способствовать излечению. Я знаю, многие тысячи людей приходят к врачам и умоляют назначить курс нетоксичного натурального лечения, но им говорят, что диета и вмешательство в рацион питания не работают. История Джил типична для многих страдающих от таких болезней:

Моя история волчанки началась в 1992 г., когда мне было 32 года. У меня были сильные боли в суставах, утомляемость и красная сыпь на лице. Анализы крови оказались типичными для волчанки. Сначала я подумала: хорошо, что поставлен диагноз, теперь мы можем начинать что-то делать. Ну а затем мне сказали, что это неизлечимо и я должна буду с этим жить и принимать лекарства всю оставшуюся жизнь. Ревматолог даже сказал мне, что я могу умереть от этой болезни. Даже с лекарствами у меня постоянно была субфебрильная температура, недостаток энергии, ярко-красное лицо, тугоподвижность и боли в суставах.

Я не могла смириться со смертным приговором и жизнью в зависимости от токсичных лекарств. Я изучала все, что могла найти об этой болезни, и с некоторым успехом попыталась перейти на вегетарианскую диету и альтернативную медицину. Жила я в Вирджинии и поездом приехала в Нью-Джерси на прием к доктору Фурману. Меня убедили сделать следующий шаг к восстановлению утраченного здоровья, и я решила перейти на более здоровую диету с продуктами, прошедшими минимальную обработку, и лечебное голодание. Вскоре я снова чувствовала себя как подросток, впервые за много лет мое лицо было прохладным и белым, мои суставы чувствовали себя великолепно, и я была полна энергии. Я похудела и выглядела прекрасно.

Я снова пошла на прием к ревматологу, работающему в штате базовой больницы медицинского колледжа. Мне думалось, что его заинтересует мой рассказ об исцелении от волчанки. Когда я начала рассказывать о своем опыте обретения хорошего здоровья, он написал в моей карте: «Спонтанное восстановление». Я была в шоке. Он не проявлял ни малейшего интереса к подробностям моего выздоровления и практически вышел из кабинета, когда я начала объяснять, что произошло.

С тех пор, вот уже 9 лет, у меня нет никаких симптомов волчанки. Волчанка больше не является частью моей жизни. Я играю в теннис и участвую в соревнованиях, играю в местной команде. Никто из моих нынешних знакомых не может предположить, что я испытывала такую боль, что даже не могла пожать кому-нибудь руку.

Джил

Не имеет значения, в каком состоянии сейчас ваше здоровье, вы можете улучшить его. Когда мы делаем правильный выбор, мы можем жить лучше и быть здоровее. Не довольствуйтесь тем, что делают другие.

> Не довольствуйтесь приемом лекарств всю оставшуюся жизнь. Вы можете выздороветь. Ваш организм имеет потрясающий потенциал исцеления и ожидает, когда его высвободят путем высококачественного питания.

Приобретение сверхздоровья вполне вам по силам. В этом процессе вы будете выглядеть лучше, чувствовать лучше и жить дольше. Плюс ко всему, высокий иммунитет может быть просто восхитителен, как вы увидите на следующих страницах.

Глава 7

МЕНЮ И РЕЦЕПТЫ

Когда моему ребенку было 18 месяцев и он страдал от уже четвертого по счету инфекционного заболевания уха и четвертого курса антибиотиков, поиски лучшего решения проблемы привели меня к доктору Фурману. После первого же визита мы изменили диету сына в соответствии с рекомендациями доктора, и с тех пор Эван больше не вспоминал об этих заболеваниях.

Ондриа Вестфолл

Для того чтобы на деле ощутить все удовольствия и пользу, получаемые от богатой питательными микроэлементами, создающей супериммунитет диеты, вы должны научиться готовить богатую питательными веществами пищу на вашей собственной кухне. Для того чтобы вы могли увидеть принципы в действии и ознакомиться с восхитительным ароматом и консистенцией богатой питательными веществами пищи, я предоставляю вам примерное меню на две недели и ассортимент рецептов очень вкусных блюд, которые помогут вам понять и освоить основные приемы и правила приготовления пищи, богатой питательными веществами.

В данном случае удобно начать с салатов. Позаботьтесь о том, чтобы вы сами и члены вашей семьи съедали большую порцию зеленого салата хотя бы один раз в день. Поскольку употребление в пищу салата так важно, оригинальные здоровые и вкусные заправки для салата, приводимые ниже, — самые важные рецепты. Попробуйте их и убедитесь, как они вкусны.

Если вы чувствуете, что эти рекомендации чересчур необычны, чтобы выполнить их все сразу, вначале убедитесь, что в состав и ланча, и обеда входят или салат, или вареные зеленые овощи. Кроме того, как можно чаще добавляйте к съедаемым вечером вареным овощам грибы и лук.

Следующим шагом после этого будет приготовление хотя бы раз в неделю большой кастрюли какого-нибудь из овощных супов с фасолью или бобами и употребление оставшейся после обеда его части в течение нескольких последующих дней.

За две недели вы могли бы добиться трех основных результатов:

1. Салат — каждый день.
2. Тарелка овощного супа с бобовыми, грибами и луком — практически каждый день.
3. Вареная зелень — ежедневно.

Попробовав многие из приводимых здесь необычных рецептов, вы можете обнаружить, что ваша боязнь перемен преодолена благодаря удовольствию и удовлетворению от потребления этой замечательной пищи.

> Вы можете поменять режим питания и скорректировать рецепты, чтобы они отражали ваши собственные вкусы и образ жизни.

За исключением случая, когда вы держите личного повара, вряд ли кто-нибудь в действительности готовит различные блюда, подобные предлагаемым, почти ежедневно. В реальном мире вы варите одно блюдо в достаточном количестве и потом не занимаетесь кулинарией несколько дней, пока не будут съедены все остатки. Так что в реальности эти рецепты, рассчитанные на две недели, фактически должны дать вам большое многообразие блюд, которым вы можете пользоваться в течение многих и многих недель.

Кроме того, вы можете просто с удовольствием есть на завтрак фрукты и орехи, много листьев салата с бобами и полезной заправкой — на ланч. Затем на обед — добрую тарелку супа, который был приготовлен несколькими днями раньше. Все мы

очень заняты. Когда готовите пищу, сделайте достаточно, чтобы приготовленного хватило на нескольких дней.

Супы могут храниться в холодильнике до пяти дней или даже
дольше, если их заморозить. Салатные заправки в холодильнике простоят и три дня и по-прежнему будут свежими на вкус.
Таким образом, если вы готовите на семью двойную, по сравнению с указанной в приводимых здесь рецептах, порцию, еды
вам хватит больше чем на один прием пищи.

Планируйте свое расписание приема пищи и закупки продуктов
так, чтобы у вас было несколько вечеров, когда вы точно будете
уверены, что не надо готовить еду и вы можете спланировать на эти
вечера иные развлечения или занятия для всей семьи.

Многие люди считают, что для приготовления большинства полезных блюд, необходимых для здорового питания в течение
всей недели, достаточно похода по магазинам дважды в неделю
и занятий кулинарией два раза в неделю.

Помните, вы можете есть сколько угодно сырых и вареных овощей и свежих фруктов. Включите порцию бобовых
в ежедневное меню и хотя бы чуточку (около ¼ чашки) сырых
орехов и семян. Так как вы больше не употребляете множества вредных для здоровья продуктов, угощайтесь разнообраз-
ными и очень вкусными экзотическими фруктами и овощами
и восхитительными полезными десертами после обеда. Попробуйте разные пряные травы и специи для придания пище
пикантности.

Всегда поддерживайте в домашнем хозяйстве достаточный ассортимент здоровой пищи и, когда на неделю уезжаете из дома по
делам, в путешествие или на отдых, упакуйте немного еды, чтобы
взять с собой, тогда вы не окажетесь в затруднительном положе-
нии, вынужденные употреблять нездоровую пищу.

Ключ к здоровому питанию — иметь в своем доме запасы достаточного количества разнообразной здоровой пищи, из которой готовятся вкусные блюда по рецептам здорового питания, и убрать из дома весь ассортимент вредных продуктов.

Я привожу здесь множество рецептов полезных заправок для салата, которые вы можете использовать с выбранным вами сочетанием зелени. Кроме того, есть множество рецептов салатов, включающих и заправку, и набор овощей для приготовления, но вы можете смешивать и подбирать соусы и создавать свои собственные варианты. Эти рецепты задуманы как старт в получении удовольствия, они позволят вам модифицировать их для разнообразия и в соответствии с вашими вкусами.

При желании небольшое количество животных продуктов может быть добавлено к любому блюду из овощей или бобовых для получения особенного аромата.

Тем не менее я рекомендую вам, чтобы вес потребляемых за неделю добавок к пище, имеющих животное происхождение, был значительно меньше 300 г для женщин и 350 г — для мужчин. Иными словами, никогда не ешьте больших порций животной пищи, а используйте ее в таких количествах, как приправу или ароматизатор, чтобы усилить вкус супа, тушеного блюда или салата.

Вы заметите, выучив и отведав некоторые из данных рецептов, что всего 30 г продуктов животного происхождения на каждый прием пищи может придать еде знакомый аромат, при этом не увеличивая количества животных продуктов на порцию по сравнению с рецептом.

Полностью исключите из рациона переработанное, консервированное или зажаренное на решетке мясо. Использование продуктов животного происхождения в диете, богатой питательными микроэлементами, — ваш выбор, поэтому можно быть веганом, вегетарианцем, изредка есть мясо или употреблять мясные продукты почти регулярно, но в очень малых количествах.

Если вы хотите использовать продукты животного происхождения в вашем питании и не желаете расставаться с их ароматом, еще строже ограничьте потребление масла и другой подвергнутой интенсивной обработке пищи, таким образом, по-прежнему источником 90% потребляемых вами калорий будет богатая микроэлементами пища.

> Чтобы поддерживать надлежащие ограничения на животные продукты в вашем питании, предлагаю вам, если вы в какой-то день съели их немного, сделайте следующий полностью веганским.

Поступая так, вы с легкостью не превысите низких уровней потребления, которые я предписываю для супериммунитета и противоракового образа жизни.

Все рецепты в этой книге являются полностью веганскими и позволяют готовить очень вкусные блюда. Для некоторых рецептов я предложил невегетарианский вариант тем, кто хочет использовать небольшое количество продуктов животноводства для усиления вкуса. Это ваш выбор. Например, вы можете подать к столу «Блюдо из тушеного мяса по рецептам тайских долгожителей», в которое подмешаны маленькие кусочки вареных креветок или гребешков. «Сливочное карри из крестоцветных» может быть ароматизировано измельченными волокнами мяса цыпленка, индейки или гремучей змеи (молодой).

> Список всех рецептов, у которых есть невеганский вариант, приведен на с. 213, и они отмечены звездочкой ниже.

УКАЗАТЕЛЬ РЕЦЕПТОВ

---

[1] Э н ч и л а д а — традиционное блюдо мексиканской кухни. Энчилада представляет собой тонкую лепешку (тортилью) из кукурузной муки, в которую завернута начинка.

ПРИМЕРНОЕ МЕНЮ
ДЛЯ СУПЕРИММУНИТЕТА

1-я неделя

ДЕНЬ 1

Завтрак
- Пудинг из черного риса (стр. 221)

Ланч
- Салат из шпината с клубникой (стр. 239)
- Пикантная белая фасоль с цукини (стр. 268)

Обед
- Сырые овощи (горошек, брокколи и морковь) с исландской подливой из фасоли темных сортов (стр. 244)
- Тушеные капуста брауноль и крупноплодная столовая тыква с тыквенными семечками (стр. 256)
- Шербет из черешни (стр. 272)

ДЕНЬ 2

Завтрак
- Очищающий зеленый чай (стр. 229)
- Суперовсянка (стр. 226)

Ланч
- Конвертики из лаваша по-ацтекски (стр. 269)
- Нарезанное ломтиками авокадо
- Ананас или другой свежий фрукт

Обед
- Суп из водяного кресса и грибов шиитаке* (стр. 250)
- Фаршированный перец «СуперЕда» (стр. 265)
- Печенье с чиа (стр. 273)

ДЕНЬ 3

Завтрак
- Миндально-конопляное нутримолоко (стр. 228)

Ланч
- Суп из водяного кресса и грибов шиитаке* (остатки) (стр. 250)
- Арбуз, свежие фрукты

Обед
- Салат из зелени разных сортов с овощами и молотыми
семенами чиа с бананово-имбирной заправкой (стр. 231)
- Кремовый карри из крестоцветных * (стр. 258)
- Манго или другой свежий фрукт

ДЕНЬ 4
Завтрак
- Горячий завтрак с лесной черникой (стр. 227)

Ланч
- Салат «Секрет Цезаря» (стр. 236)
- Желе из взбитых ягод (стр. 272)

Обед
- Чипсы из капусты браунколь с пряностями и воздушной
кукурузой (стр. 245)
- Знаменитый противораковый суп доктора Фурмана (стр. 248)
- Свежие фрукты и ягоды в шоколадном креме (стр. 273)

ДЕНЬ 5
Завтрак
- Бананово-ягодный завтрак на скорую руку (стр. 224)

Ланч
- Салат с овощами и зеленым горошком под апельсиново-
кунжутной заправкой (стр. 233)
- Знаменитый противораковый суп доктора Фурмана (остатки)
(стр. 248)
- Киви или другой свежий фрукт

Обед
- Салат из зелени разных сортов с руколой, посыпанный
семенами подсолнечника с русской заправкой для винегрета
(стр. 234)

• Большая порция чудо-грибов по-строгановски на пасте из непросеянной муки* (стр. 263)
• Свежие или свежезамороженные вишни

ДЕНЬ 6

Завтрак
• Вальдорфский салат-пюре (стр. 231)

Ланч
• Конвертики по-мумбайски (стр. 270)
• Нарезанные тонкими ломтиками томаты, сбрызнутые бальзамическим уксусом, посыпанные орешками
• Дыня или другой свежий фрукт

Обед
• Капустный салат «Тройное наслаждение» (стр. 240)
• Тушеные чили и годжи[1] (стр. 261)
• Кусочки яблок с ягодами и орехами

ДЕНЬ 7

Завтрак
• Смесь овощей*
• Миндально-конопляное нутримолоко (стр. 228)

Ланч
• Томатный суп-пюре (стр. 251)
• Салат из маринованной капусты браунколь (стр. 236)
• Ломтики яблок и золотые луковые шарики (стр. 243)

Обед
• Побеги цикория-эндивия и листья салата ромэн с соусом сальса из фасоли темных сортов и зерен (стр. 241)
• Полезные гамбургеры* с авокадо, салатом-латуком, помидором и красным луком на булочках из цельного зерна (стр. 254)

---

[1] Го д ж и — маленькая кораллово-красная медицинская ягода.

- Кетчуп по-домашнему (стр. 244)
- Брокколи, приготовленная на пару
- Полезный шоколадный торт (стр. 278)

2-я неделя

ДЕНЬ 1

Завтрак
- Сладкие свекольно-картофельные кексы с клубничным соусом (стр. 224)

Ланч
- Салат из салата-латука и пекинской капусты с бальзамической заправкой с ягодами годжи (стр. 232)
- Рататуй с грибами кремини (стр. 259)
- Клементины[1] или другие свежие фрукты

Обед
- Прекрасная тушеная чечевица для Лизы (стр. 262)
- Марроканская смесь с листовой зеленью (стр. 262)
- Кусочки свежего ананаса

ДЕНЬ 2

Завтрак
- Быстрые ягодные палочки к завтраку (стр. 220)
- Омега-молоко с яблоками и корицей (стр. 228)

Ланч
- Конвертики по-мумбайски (стр. 270)
- Палочки из моркови с красным перцем
- Папайя с лаймом или другим свежим фруктом

Обед
- Салат из зелени разных сортов и помидора с салатной заправкой песто (стр. 234)
- «Модный» суп из капусты браунколь (стр. 246)
- Свежая или свежезамороженная черника

---

[1] К л е м е н т и н — гибрид мандарина и апельсина.

ДЕНЬ 3

Завтрак
♦ Густой напиток «Very Berry» (стр. 230)

Ланч
♦ Баклажанный хумус (стр. 272)
♦ Сырые овощи (цукини, красный перец, горошек)
♦ Грибы портобелло с фасолью (стр. 265)
♦ Вишни или какой-либо свежий фрукт

Обед
♦ Салат из яблок и китайской капусты (стр. 235)
♦ Гратен из швейцарского мангольда
  и сладкого картофеля (стр. 266)
♦ Трюфели с яблоками (стр. 277)

ДЕНЬ 4

Завтрак
♦ Ударная порция растительной пищи на завтрак (стр. 222)

Ланч
♦ Суп-пюре из мускатной тыквы с грибами (стр. 247)
♦ Конвертики из фасоли темных сортов и листьев салата ромэн
  (стр. 255)
♦ Салат из тропических фруктов (стр. 241)

Обед
♦ Салат с заправкой из черных фиг (стр. 237)
♦ Тайское тушеное блюдо для долголетия* (стр. 268)
♦ Яблочный пирог с лесной черникой
  или разные ягоды (стр. 279)

ДЕНЬ 5

Завтрак
♦ Гранатовые мюсли (стр. 223)

Ланч
♦ Энергетический салат (стр. 238)
♦ Яблоки с маслом кешью прямого отжима

Обед

- Пикантная белая фасоль с цукини (стр. 268)
- Шпинат с грибами по-американски (стр. 252)
- Пирожные с «шоколадной» помадкой из фасоли темных сортов (стр. 276)

ДЕНЬ 6

Завтрак

- Густой напиток из зеленых овощей «Got Greens» (стр. 229)

Ланч

- Простая овощная пицца* (стр. 260)
- Брюссельская капуста по-польски (стр. 257)
- Виноград или какие-либо свежие фрукты

Обед

- Салат из разных сортов зелени и брюссельской капусты с арахисово-имбирной заправкой (стр. 233)
- Золотистый австрийский суп из цветной капусты (стр. 249)
- Густой шербет из черники и грецких орехов (стр. 274)

ДЕНЬ 7

Завтрак

- Ежевично-яблочный сюрприз (стр. 221)

Ланч

- Разноцветный рубленый салат (стр. 238)
- Золотистый австрийский суп из цветной капусты (остатки) (стр. 249)
- Манго или другой свежий фрукт
- Обед
- Сырые овощи (огурец, побеги цикория-эндивия, красный перец)
- Простой гуакамоле (стр. 246)
- Энчилада с фасолью (стр. 253)
- Сальса с низким содержанием соли
- Пирог с кокосово-морковным кремом (стр. 275)

РЕЦЕПТЫ ЗАВТРАКОВ

БЫСТРЫЕ ЯГОДНЫЕ ПАЛОЧКИ К ЗАВТРАКУ

8 порций

- *1 спелый банан среднего размера*
- *1 чашка овсяных хлопьев,
  не подвергнутых тепловой обработке*
- *1 чашка мороженой черники. Разморозить*
- *¼ чашки изюма*
- *⅛ чашки гранатового сока*
- *2 столовые ложки мелко рубленных фиников*
- *1 столовая ложка рубленых грецких орехов*
- *1 столовая ложка ягод годжи[1]*
- *1 столовая ложка сырых семечек подсолнечника*
- *2 столовые ложки молотого льняного семени*

1. Разогрейте духовку до 180 °С. Разотрите бананы в большой миске.

2. Добавьте остальные ингредиенты и тщательно смешайте.

3. Слегка смажьте форму для выпечки небольшим количеством оливкового масла.

4. Переложите смесь в форму и равномерно распределите по ней.

5. Выпекайте 25 минут.

6. Охладите на решетке и порежьте на кусочки в виде полосок.

7. Оставшиеся после еды полоски храните в холодильнике.

---

[1] Можно заменить сушеной клюквой.

ЕЖЕВИЧНО-ЯБЛОЧНЫЙ СЮРПРИЗ

4 порции

- *1 чашка сабзы[1]*
- *⅓ чашки воды*
- *8 яблок, очищенных, с удаленной сердцевиной и нарезанных кубиками*
- *½ чашки ежевики*
- *½ чашки рубленых грецких орехов*
- *4 столовые ложки молотого льняного семени*
- *1 столовая ложка молотой корицы*
- *1 чайная ложка экстракта ванили*

1. Положите сабзу на дно глубокой кастрюли средних размеров и добавьте воды.

2. Сверху разложите нарезанные яблоки.

3. Накройте крышкой и пропарьте на очень слабом огне 5 минут.

4. Добавьте ежевику и готовьте еще 2 минуты.

5. Переложите яблочно-черничную смесь в миску и тщательно смешайте с остальными компонентами.

ПУДИНГ ИЗ ЧЕРНОГО РИСА

4 порции

- *2 чашки вареного черного риса*
- *2 чашки неподслащенного соевого, конопляного или миндального молока*
- *½ чашки сушеных яблок, предварительно замоченных до мягкости в ½ чашки воды и затем нарезанных кубиками (сохраните воду, в которой замачивались яблоки, чтобы использовать при приготовлении)*

---

[1] С а б з а — сушеный виноград бессемянных сортов с белыми ягодами (кишмиш белый овальный и др.), один из видов кишмиша.

- ♦ ½ чашки воды
- ♦ 1 чашка мороженой лесной черники
- ♦ 2 королевских финика (или 4 финика поменьше), очищенных от косточек и тонко порубленных
- ♦ 1 столовая ложка сабзы
- ♦ 2 чайные ложки молотой корицы
- ♦ 2 чайные ложки экстракта ванили
- ♦ 1 столовая ложка молотых семян чиа[1]

1. Поместите все ингредиенты, кроме чиа, в средних размеров кастрюлю.

2. Доведите до кипения на умеренно сильном огне, затем уменьшите нагревание до тихого кипения и варите на медленном огне 15 минут.

3. Отключите нагрев и добавьте семена чиа и хорошо размешайте, оставив под крышкой еще на 5 минут.

4. Замечательный десерт на завтрак или обед.

5. Подавайте в теплом или холодном виде, украсьте сверху ложкой взбитого крема из мороженых бананов.

6. Крем из мороженых бананов приготовьте, взбив в блендере кусочки мороженых бананов с небольшим количеством ванильного, конопляного или соевого молока.

УДАРНАЯ ПОРЦИЯ РАСТИТЕЛЬНОЙ ПИЩИ НА ЗАВТРАК

2 порции

- ♦ 1 яблоко, нарезанное тонкими ломтиками
- ♦ 1 банан, нарезанный ломтиками
- ♦ 1 апельсин, разделенный на дольки

---

[1] Семена чиа можно заменить льном, замоченным на ночь.

- ½ чашки черники
- ½ чашки экологически чистой клубники, нарезанной кусочками
- 2 столовые ложки молотых семян чиа, конопли или льна
- 2 столовые ложки сырых рубленых грецких орехов

1. Смешайте фрукты и ягоды.

2. Добавьте семена и встряхните.

ГРАНАТОВЫЕ МЮСЛИ
2 порции

- ½ чашки гранатового сока
- ¼ чашки дробленой овсяной крупы или «Геркулеса» (не хлопьев быстрого или мгновенного приготовления)
- 1 яблоко, очищенное, тертое
- 4 сырых ореха кешью или фундука, крупно нарубленых
- ½ чашки половинок ягод винограда
- ½ чашки нарезанной кубиками мускусной дыни
- ½ чашки нарезанной кусочками свежей экологически чистой клубники
- 1 столовая ложка сабзы
- 1 столовая ложка молотого льняного семени

1. Замочите овсяные хлопья в гранатовом соке и оставьте на ночь в холодильнике. Овес впитает жидкость.

2. Утром соедините овес с остальными ингредиентами.

Примечание. Вы можете добавлять или заменять любые фрукты в соответствии с собственным вкусом.

БАНАНОВО-ЯГОДНЫЙ ЗАВТРАК НА СКОРУЮ РУКУ

2 порции

- ♦ *2 чашки свежей или мороженой черники*
- ♦ *2 банана, нарезанных тонкими ломтиками*
- ♦ *½ чашки «Геркулеса»*
- ♦ *⅓ чашки гранатового сока*
- ♦ *2 столовые ложки рубленых грецких орехов*
- ♦ *1 столовая ложка сырых подсолнечных семечек*
- ♦ *2 столовые ложки сушеной сабзы*

1. Смешайте все ингредиенты в небольшой миске для микроволновой печи.

2. Нагревайте в микроволновой печи в течение 3 минут.

Примечание. Вы можете также смешать все ингредиенты в контейнере с герметично закрывающейся крышкой и съесть позже, в горячем или холодном виде.

СЛАДКИЕ СВЕКОЛЬНО-КАРТОФЕЛЬНЫЕ КЕКСЫ С КЛУБНИЧНЫМ СОУСОМ

12 кексов

Для кексов:
- ♦ *0,5 кг сладкого картофеля, нарезанного большими кусками*
- ♦ *2 большие свеклы, нарезанные большими кусками*
- ♦ *2 чашки нарезанных тонкими ломтиками грибов*
- ♦ *3 чашки очень тонко нарезанной листовой капусты*
- ♦ *1 средняя луковица, нарезанная кубиками*
- ♦ *1 столовая ложка дижонской горчицы*
- ♦ *1 столовая ложка уксуса из черных фиг по рецепту доктора Фурмана (см. с. 237) или бальзамического уксуса*
- ♦ *1 столовая ложка свежего мелко рубленного укропа*
- ♦ *1 столовая ложка молотых семян чиа*

Для клубничного соуса:

♦ *1 яблоко, очищенное, с удаленной сердцевиной, нарезанное кубиками*

♦ *1 чашка мороженой клубники*

♦ *½ чашки сушеных яблок*

♦ *½ чашки воды*

♦ *2 столовые ложки уксуса из черных фиг по рецепту доктора Фурмана (см. с. 237) или бальзамического уксуса*

♦ *1 столовая ложка дижонской горчицы*

1. Положите сладкий картофель и свеклу вместе в кастрюлю с крышкой и парьте в течение 20–30 минут, пока кусочки не будут легко прокалываться вилкой. Снимите с огня, чтобы охладить.

2. Когда картофель и свекла остынут, удалите кожуру и разотрите в пюре.

3. Обжаривайте на сковороде лук в 3 столовых ложках воды в течение нескольких минут, пока его кусочки не станут полупрозрачными и нежными.

4. Добавьте грибы и листовую капусту и продолжайте готовить, помешивая деревянной лопаточкой еще 5 минут, пока все овощи не станут мягкими.

5. Добавьте эту смесь в миску со сладким картофелем и свеклой, прибавьте горчицу, уксус, укроп и молотые семена чиа и хорошо перемешайте. Сформуйте пирожки.

6. Выпекайте при очень низкой температуре 2 часа, при этом вода испарится из кексов или пирожков, и они затвердеют.

7. Для приготовления клубничного соуса положите свежее яблоко, клубнику и сушеные яблоки в маленькую кастрюлю с водой.

8. Доведите до кипения при умеренно сильном нагревании, затем уменьшите нагрев и варите под крышкой, не доводя до кипения, 20 минут.

9. Разотрите до необходимой консистенции в машине для приготовления картофельного пюре или в блендере. Подавайте картофельные пирожки с соусом.

СУПЕРОВСЯНКА

2 порции

- *1 чашка овсяных хлопьев, не подвергнутых тепловой обработке*
- *1½ чашки неподслащенного ванильного, соевого, конопляного или миндального молока*
- *1 яблоко, очищенное и нарезанное*
- *1 чашка мороженой черники или смеси ягод размороженных*
- *¼ чашки изюма*
- *1 столовая ложка сырых подсолнечных семечек*
- *1 столовая ложка молотого льняного семени*
- *1 столовая ложка молотого конопляного семени*
- *½ чайной ложки молотой корицы*

1. Сварите овсяные хлопья в соответствии с указаниями на пакете, используя соевое молоко вместо воды.

2. Смешайте оставшиеся ингредиенты и перемешайте с овсянкой.

ОВОЩНОЙ ОМЛЕТ

2 порции

- *3 чашки экологически чистого молодого шпината*
- *1 чашка рубленого репчатого лука*
- *1 чашка нарезанного зеленого перца*
- *1 чашка нарезанных кубиками помидоров*

- *½ кубика твердого тофу или 3 яйца*
- *¼ чашки неподслащенного ванильного, соевого, конопляного или миндального молока*
- *1 столовая ложка приправ для придания вкуса*

1. Обжарьте шпинат, лук, перец и помидоры до мягкости.

2. Выжмите как можно больше воды из тофу и затем раскрошите его поверх смеси овощей и продолжайте готовить, пока тофу слегка не подрумянится.

3. Добавьте приправу, если пожелаете.

Невегетарианский вариант. В этом рецепте можно тофу заменить яйцами. Взбейте яйца с молоком, вылейте поверх овощной смеси и хорошо проварите. Превосходный вкус будет, если использовать 2 яйца (по одному на каждого едока) и смешать с раскрошенным тофу.

ГОРЯЧИЙ ЗАВТРАК С ЛЕСНОЙ ЧЕРНИКОЙ

2 порции

- *2 чашки мороженой лесной черники*
- *½ чашки соевого, конопляного или миндального молока*
- *¼ чашки неподслащенного дробленого кокосового ореха, слегка поджаренного*
- *¼ чашки рубленых грецких орехов*
- *¼ чашки сабзы*
- *1 банан, нарезанный тонкими ломтиками*

1. Подогрейте мороженую чернику и соевое молоко, пока смесь не станет теплой.

2. Добавьте остальные ингредиенты и хорошо размешайте.

ГУСТЫЕ КОКТЕЙЛИ,
САЛАТЫ-ПЮРЕ И ДРУГИЕ НАПИТКИ

МИНДАЛЬНО-КОНОПЛЯНОЕ НУТРИМОЛОКО

На 4 порции

- *1 чашка семян конопли*
- *1 чашка сырого миндаля, замоченного на 6—8 часов*
- *2 королевских финика без косточек
  (или 4 поменьше)*
- *2½ чашки воды*
- *½ чайной ложки ванили*

1. Поместите все ингредиенты в блендер.

2. Смешивайте их до получения однородной массы.

3. Отожмите или процедите через хлопчатобумажную ткань, пакет для фильтрования соков или тонкий сетчатый фильтр.

4. Храните в стеклянном кувшине.

5. Для приготовления шоколадного нутримолока добавьте в блендер 2–3 столовые ложки натурального какао-порошка наряду с другими ингредиентами.

ОМЕГА-МОЛОКО С ЯБЛОКАМИ И КОРИЦЕЙ

4 порции

- *1 чашка грецких орехов, замоченных на 6—8 часов*
- *1 чашка сырых орехов кешью, замоченных на 6—8 часов*
- *½ чашки семян конопли*
- *1 чашка сушеных яблок, замоченных в 1 чашке воды, пока не станут мягкими (сохраните воду, в которой они замачивались)*
- *2 чашки воды*
- *1 чайная ложка корицы*

1. Поместите все ингредиенты в блендер.

2. Смешивайте их до получения однородной массы.

3. Процедите и отожмите через плотную хлопчатобумажную ткань, пакет для фильтрования соков или тонкий сетчатый фильтр.

4. Храните в стеклянном кувшине.

ОЧИЩАЮЩИЙ ЗЕЛЕНЫЙ ЧАЙ
4 порции

- *1 пучок листовой кудрявой капусты*
- *2 чашки листьев салата ромэн*
- *1 огурец*
- *4 листика китайской капусты*
- *2 чашки зеленого чая без сахара*
- *2 чашки мороженой малины*
- *2 чашки мороженой вишни или клубники*

1. Приготовьте сок из зеленых овощей, пропустив кудрявую и китайскую капусту, салат ромэн, огурец через соковыжималку.

2. Смешайте зеленый чай с 2 чашками сока из овощей.

3. Поместите в блендер вместе с мороженой малиной и морожеными ягодами вишни или клубники и хорошо взбейте.

ГУСТОЙ НАПИТОК ИЗ ЗЕЛЕНЫХ ОВОЩЕЙ «GOT GREENS»
2 порции

- *60 г экологически чистого молодого шпината*
- *60 мл бостонского или зеленого листового салата*
- *2 чашки свежих или мороженых кубиков ананаса*

- *3 киви*
- *½ авокадо*
- *1 банан*

1. Поместите все ингредиенты в мощный блендер.

2. Смешивайте в нем до получения однородной сметанообразной массы.

ПУРПУРНЫЙ ЭНЕРГЕТИЧЕСКИЙ ГУСТОЙ НАПИТОК
2 порции

- *1 чашка гранатового сока*
- *1 чашка плотно уложенного молодого шпината*
- *1 чашка плотно уложенного бостонского листового салата*
- *¼ огурца средних размеров*
- *½ чашки мороженой черники*
- *1 чашка мороженой ягодной смеси или клубники*
- *3 финика без косточек*
- *2 столовые ложки молотого льняного семени*
- *1 чашка льда*

1. Поместите все ингредиенты в мощный блендер.

2. Смешивайте в нем до получения однородной сметанообразной массы.

ГУСТОЙ НАПИТОК «VERY BERRY»
2 порции

- *1 чашка неподслащенного ванильного, конопляного, соевого или миндального молока*
- *2 банана*

- *2 чашки мороженых персиков*
- *½ чашки мороженой ежевики*
- *½ чашки мороженой малины*
- *½ чашки мороженой черники*

1. Поместите все ингредиенты в мощный блендер.

2. Смешивайте в нем до получения однородной массы.

ВАЛЬДОРФСКИЙ САЛАТ-ПЮРЕ
1 порцию

- *½ чашки гранатового сока*
- *1 яблоко, очищенное, с удаленной сердцевиной*
- *¼ чашки грецких орехов*
- *3 чашки плотно уложенной листовой капусты или листовой кудрявой капусты*
- *1 чашка плотно уложенного салата-латука*
- *¼ чашки воды или кубиков льда*

1. Поместите все ингредиенты в мощный блендер.

2. Смешивайте в нем до получения однородной массы.

ЗАПРАВКИ К САЛАТУ

БАНАНОВО-ИМБИРНАЯ ЗАПРАВКА
2 порции

- *1 большой очищенный банан*
- *¼ чашки кинзы*
- *1 лимон, выжать сок*
- *1 столовая ложка свежего имбиря, нарезанного кусочками*

- ♦ ½ *чайной ложки перца халапеньо[1],*
  с удаленными семенами, нарезанного кусочками
  (можно добавить больше по вкусу)
- ♦ ¼ *чашки воды*

1. Поместите все ингредиенты в мощный блендер.

2. Смешивайте в нем до получения однородной сметанообразной массы.

БАЛЬЗАМИЧЕСКАЯ ЗАПРАВКА С ЯГОДАМИ ГОДЖИ

4 порции

- ♦ ½ *чашки сушеных ягод годжи[2], замоченных*
  в ½ чашки воды до мягкости (сохраните воду,
  в которой замачивались ягоды для использования
  в приготовлении)
- ♦ *2 столовые ложки горчицы с пониженным*
  содержанием натрия
- ♦ ¼ *чашки бальзамического уксуса*
- ♦ ¼ *чашки грецких орехов*
- ♦ *1 столовая ложка мелко порубленного*
  зеленого лука
- ♦ ½ *чайной ложки лукового порошка*
- ♦ ½ *чашки овощного бульона, без соли или*
  с пониженным содержанием натрия
- ♦ *Щепотка черного перца*

1. Поместите все ингредиенты в мощный блендер.

2. Смешивайте в нем до получения однородной сметанообразной массы.

---

[1] Халапеньо — средних размеров перец чили, который ценится за ощущения при его поедании от «теплого» до «горячего».
[2] Можно заменить клюквой.

АПЕЛЬСИНОВО-КУНЖУТНАЯ ЗАПРАВКА

2 порции

- ¼ чашки неочищенных семян кунжута
- ¼ чашки сырых орехов кешью или ⅛ чашки масла из сырых орехов кешью
- ½ чашки апельсинового сока
- 2 чайные ложки уксуса из апельсинов или одна столовая ложка рисового уксуса
- 2 апельсина, очищенные и нарезанные кубиками

1. Обжарьте семена кунжута на сухой сковороде с длинной ручкой при умеренно сильном нагревании в течение 3 минут, почти постоянно встряхивая сковороду.

2. В блендере смешайте половину семян кунжута, кешью, апельсиновый сок и уксус.

3. Добавьте к салату нарезанные кубиками апельсины и смешайте с растертой заправкой.

4. Посыпьте сверху оставшимися семенами кунжута.

Примечание. Это очень вкусно с салатом из шпината или из грибов с тонко нарезанным красным луком или салатом-латуком, помидором и огуречным салатом.

АРАХИСОВО-ИМБИРНАЯ ЗАПРАВКА

4 порции

- 2 апельсина, очищенные, с удаленными семенами
- ¼ чашки рисового уксуса
- ⅛ чашки арахисового масла без соли
- ⅛ чашки масла из сырых орехов кешью или миндального масла

♦ *1 чайная ложка соевого соуса с пониженным содержанием натрия*

♦ *1 кусочек свежего корня имбиря длиной 60 мм, очищенный*

♦ *¼ зубчика чеснока*

1. Поместите все ингредиенты в мощный блендер.

2. Смешивайте в нем до получения однородной сметанообразной массы.

САЛАТНЫЙ СОУС ПЕСТО
8 порций

♦ *1½ чашки авокадо*

♦ *5 столовых ложек лимонного сока*

♦ *7 зубчиков чеснока*

♦ *4 чашки овощного сока с пониженным содержанием натрия*

♦ *2 чайные ложки итальянской приправы без соли*

♦ *¼ чашки кедровых орехов*

♦ *⅓ чашки свежих листьев базилика*

1. Поместите все ингредиенты в мощный блендер.

2. Смешивайте в нем до получения однородной массы.

РУССКАЯ ЗАПРАВКА ДЛЯ ВИНЕГРЕТА
4 порции

♦ *1 чашка твердого нежного тофу*

♦ *3 столовые ложки томатной пасты*

♦ *2 чайные ложки очень тонко порубленного лука*

♦ *¼ чашки воды*

♦ *¼ чашки морковного сока*

♦ *½ столовой ложки рисового уксуса*

- *Несоленая смесь приправ с сушеным томатом по вкусу*
- *½ чайной ложки сухой горчицы*
- *¼ чайной ложки молотой паприки*

1. Поместите все ингредиенты в блендер и готовьте пюре до получения однородной сметанообразной массы.

2. Добавьте воды для необходимой консистенции.

3. Выход продукта: 1 ¾ чашки

САЛАТЫ

САЛАТ ИЗ ЯБЛОК И КИТАЙСКОЙ КАПУСТЫ

2 порции

- *6 чашек тонко нарезанной китайской капусты*
- *1 большое яблоко, нашинкованное*
- *1 большая морковь, нашинкованная*
- *½ чашки нарезанного красного лука*
- *½ чашки неподслащенного соевого, конопляного или миндального молока*
- *½ чашки сырых орехов кешью или ¼ чашки масла из сырых орехов кешью*
- *¼ чашки бальзамического уксуса*
- *¼ чашки изюма*
- *1 чайная ложка дижонской горчицы*

1. Соедините в большой миске китайскую капусту, яблоко, морковь и нарезанный лук.

2. Смешайте соевое молоко, кешью, уксус, изюм и горчицу в кухонном комбайне или мощном блендере.

3. Добавьте желаемое количество к нарезанным овощам.

САЛАТ «СЕКРЕТ ЦЕЗАРЯ»

4 порции

Для салата:

- *½ чашки сырого миндаля*
- *2 столовые ложки пищевых дрожжей*
- *350 г рубленого салата ромэн*

Для заправки:

- *6 зубчиков жареного чеснока[1]*
- *1 чашка неподслащенного соевого, конопляного или миндального молока*
- *½ чашки масла из сырых орехов кешью*
- *2 столовые ложки пищевых дрожжей*
- *2 столовые ложки свежевыжатого лимонного сока*
- *1 столовая ложка дижонской горчицы*
- *⅛ чайной ложки черного перца*

1. Взбейте миндаль и пищевые дрожжи в мощном блендере, чтобы получилась начинка.

2. Посыпьте ее поверх салата ромэн.

3. Взбейте в блендере все ингредиенты заправки и полейте ею салат.

САЛАТ ИЗ МАРИНОВАННОЙ КАПУСТЫ БРАУНКОЛЬ

4 порции

- *6 чашек нашинкованной капусты браунколь*
- *¼ чашки сабзы*
- *2 столовые ложки ягод годжи[2]*
- *⅓ чашки не обработанных диоксидом серы, несоленых помидоров солнечной сушки, тонко нарубленных*

---

[1] Чтобы поджарить чеснок, разделите головку на зубчики. Не снимайте похожую на бумагу кожицу. Жарьте при температуре 180 °C примерно 25 минут, пока чеснок не станет мягким. Когда остынет, удалите кожицу.

[2] Можно заменить клюквой.

- ½ чашки тонко нарезанного зеленого лука
- 1 столовая ложка свежевыжатого лимонного сока
- 2 апельсина, выжатый сок
- 2 столовые ложки кедровых орехов

1. Выложите все ингредиенты в миску.

2. Смешайте салат и подавите браунколь руками.

3. Положите салат в контейнер с крышкой и оставьте на ночь в холодильнике.

4. Перед подачей на стол встряхните.

САЛАТ С ЗАПРАВКОЙ ИЗ ЧЕРНЫХ ФИГ

4 порции

Для салата:
- 100 г маш-салата[1]*
- 100 г водяного кресса
- 50 г кудрявого цикория-эндивия
- 120 г смеси молодой зелени
- 1 чашка соцветий брокколи

Для заправки:
- ⅓ чашки бальзамического уксуса
- Несоленая смесь приправ по вкусу
- 4 столовые ложки воды
- 1 столовая ложка дижонской горчицы
- 1 чайная ложка майорана
- 1 столовая ложка масла из сырого миндаля
- 1 столовая ложка кетчупа с пониженным содержанием натрия
- 1 чайная ложка чесночного порошка
- ½ чашки орехов пекан, нарубленных крупными кусками

---

[1] Маш-салат — нежный салат-латук с круглыми маленькими листьями. Если не можете его достать, используйте больше молодой зелени.

1. Вымойте и высушите ингредиенты салата и выложите в большую салатную миску.

2. Взбейте ингредиенты заправки, за исключением орехов пекан, до однородной массы.

3. Встряхните салат с заправкой, подавайте на тарелках, посыпанный рублеными орехами пекан.

ЭНЕРГЕТИЧЕСКИЙ САЛАТ
1 порция

- *2 очищенные средние моркови*
- *¼ часть маленького кочана капусты*
- *1 чашка соцветий брокколи*
- *2 средних стебля сельдерея*
- *1 большое яблоко с удаленной сердцевиной*
- *½ чашки орехов пекан или других сырых орехов*

1. Используя S-образную насадку кухонного комбайна, накрошите ингредиенты на тонкие кусочки, размером с конфетти.

2. Обработку выполняйте в пульсирующем режиме (несколько раз включите и выключите комбайн во время измельчения).

3. Эти ингредиенты хорошо сохраняются, так что можно взять бо́льшее количество продуктов, чтобы хватило на несколько порций.

РАЗНОЦВЕТНЫЙ РУБЛЕНЫЙ САЛАТ
4 порции

- *6 чашек нашинкованной китайской капусты*
- *2 чашки моркови, нарезанной кусочками размером со спичку*
- *1 чашка тонко нашинкованной красной капусты*

- ⅔ чашки ягод годжи[1]
- ⅔ чашки стружки из сырого миндаля
- 1½ чашки нарезанного кубиками манго
- ¼ чашки рисового уксуса

1. Положите все ингредиенты в миску для смешивания и хорошо перемешайте руками, чтобы втереть уксус в овощи.

2. Перед подачей на стол оставьте мариноваться на несколько часов.

Другой вариант. Сверху полейте остатками горячего супа или соуса

САЛАТ ИЗ ШПИНАТА С КЛУБНИКОЙ

4 порции

Для салата:
- ½ чашки сырых целых орехов пекан, слегка подрумяненных
- 350 г экологически чистого молодого шпината
- 1 чашка экологически чистой клубники, нарезанной половинками

Для заправки:
- 2 чашки экологически чистой свежей клубники
- 4 финика с вынутой косточкой
- 1 столовая ложка неочищенных семян кунжута
- 3 столовые ложки бальзамического уксуса

1. Слегка подрумяньте орехи пекан в разогретой до 120 °C духовке в течение 3 минут.

2. Взбейте ингредиенты, предназначенные для заправки, в мощном блендере до получения однородной массы.

3. Залейте сверху салат заправкой.

---

[1] Можно заменить клюквой.

КАПУСТНЫЙ САЛАТ «ТРОЙНОЕ НАСЛАЖДЕНИЕ»

4 порции

Для салата:
- ♦ *2 чашки нашинкованной белокочанной капусты*
- ♦ *1 чашка нашинкованной краснокачанной капусты*
- ♦ *1 чашка нашинкованной савойской капусты*
- ♦ *1 морковь, очищенная и натертая на терке*
- ♦ *1 красный перец, тонко нарезанный*
- ♦ *4 столовые ложки сабзы*
- ♦ *2 столовые ложки сырых тыквенных семян*
- ♦ *2 столовые ложки сырых подсолнечных семян*
- ♦ *1 столовая ложка неочищенных семян кунжута*

Для заправки:
- ♦ *⅓ чашки неподслащенного соевого, миндального или конопляного молока*
- ♦ *1 яблоко, очищенное и нарезанное тонкими ломтиками*
- ♦ *½ чашки сырых орехов кешью или ¼ чашки масла из сырых орехов кешью*
- ♦ *1 столовая ложка бальзамического уксуса*
- ♦ *1 столовая ложка сабзы*
- ♦ *2 столовые ложки неочищенных семян кунжута*

1. Слегка подрумяньте семена кунжута на сковороде при среднем нагревании в течение 3 минут, часто встряхивая сковороду.

2. Смешайте все ингредиенты, предназначенные для салата.

3. В мощном блендере взбейте соевое молоко, яблоко, кешью и уксус и, встряхивая, смешайте с салатом.

4. Украсьте сабзой и подрумяненными семенами кунжута.

Примечание. Вкус салата будет лучше, если его сделать за день до подачи на стол, чтобы образовался букет ароматов.

САЛАТ ИЗ ТРОПИЧЕСКИХ ФРУКТОВ
4 порции

- *2 чашки нарезанного кубиками ананаса*
- *1 чашка нарезанного кубиками манго*
- *1 чашка нарезанной кубиками папайи*
- *2 апельсина, очищенные и нарезанные тонкими ломтиками*
- *1 банан, нарезанный тонкими ломтиками*
- *2 столовые ложки неподслащенной кокосовой стружки*
- *Измельченный салат ромэн*

1. Смешайте фрукты, встряхивая.

2. Добавьте кокосовый орех и подайте, разложив поверх салата ромэн.

ПОДЛИВЫ, ЛЕГКИЕ ЗАКУСКИ И ПРИПРАВЫ

СОУС САЛЬСА ИЗ ФАСОЛИ ТЕМНЫХ СОРТОВ И ЗЕРЕН КУКУРУЗЫ
8 порций

- *1½ чашки вареной фасоли темных сортов или упаковка (500 г) несоленой, с пониженным содержанием натрия фасоли темных сортов, жидкость слить*
- *1½ чашки размороженной белой кукурузы*
- *4 среднего размера свежих помидора, нарезанные кусочками*
- *½ среднего размера болгарского перца, нарезанного кусочками*
- *1 маленькая луковица, нарезанная кусочками*
- *3 больших зубчика чеснока, нарезанные кусочками*
- *2 перца халапеньо, очищенные от семян и нарезанные кусочками (можно добавить еще, если вы любите сальсу поострее)*
- *⅓ чашки кинзы, мелко нарубленной*
- *1½ столовой ложки свежевыжатого сока лайма*

- *1½ столовой ложки свежевыжатого сока лимона*
- *Смесь приправ без соли по вкусу*
- *1 чайная ложка порошка чеснока (добавлять можно по вкусу)*
- *1 чайная ложка соевого соуса*

1. Выложите в миску для смешивания фасоль и кукурузу.

2. Поместите свежие помидоры, перец, лук, чеснок и халапеньо в кухонный комбайн и обрабатывайте в импульсном режиме до измельчения на маленькие кусочки.

3. Добавьте к смеси фасоли и кукурузы вместе с оставшимися ингредиентами и тщательно смешайте.

4. Подавайте с сырыми овощами или экологически чистыми чипсами тортилья.

5. Для приготовления экологически чистых чипсов нарежьте лепешки тортилья из проросшего зерна на треугольники по размеру чипсов, положите на противень и выпекайте при 100°C час или пока они не станут хрустящими, но не подрумяненными.

БАКЛАЖАНОВЫЙ ХУМУС
4 порции

- *1 среднего размера баклажан, разрезанный пополам*
- *1 чашка вареного или консервированного турецкого гороха (нута), малосоленого или без соли, жидкость слить*
- *⅓ чашки воды*
- *4 столовые ложки сырых неочищенных семян кунжута*
- *2 столовые ложки свежевыжатого сока лимона*

- *1 столовая ложка обсушенного нарезанного репчатого лука*
- *4 зубчика чеснока, мелко нарезанного*
- *Острая паприка и/или сушеная петрушка для украшения*

1. Запекайте баклажан при 180 °С 45 минут.

2. Дайте остыть, удалите кожицу.

3. Смешайте все ингредиенты, включая печеный, очищенный баклажан, в кухонном комбайне или мощном блендере до получения однородной сметанообразной массы.

4. Подавайте с сырыми овощами в ассортименте.

ЗОЛОТИСТЫЕ ЛУКОВЫЕ ШАРИКИ

Получается 30–40 шариков

- *1 ½ чашки сырых орехов кешью*
- *1 чашка сырого миндаля*
- *1 средних размеров яблоко, очищенное, с удаленной сердцевиной, нарезанное тонкими ломтиками*
- *1 столовая ложка пищевых дрожжей*
- *1 столовая ложка молотых семян чиа или льна*
- *1 столовая ложка лукового порошка*
- *поджаренные семена кунжута (для посыпки)*
- *мелко нарезанный шнитт-лук (для посыпки)*

1. Измельчите в порошок, подобный муке крупного помола, кешью и миндаль в мощном блендере.

2. Затем добавьте кусочки яблока, пищевые дрожжи, молотые семена чиа или льна и луковый порошок и снова смешайте в блендере.

3. Сформуйте небольшие шарики и обваляйте каждый шарик в смеси семян кунжута и нарезанного шнитт-лука.

КЕТЧУП ПО-ДОМАШНЕМУ

Ингредиенты

- ♦ *5 целых королевских фиников, удалить косточки*
- ♦ *1 чашка воды*
- ♦ *300 г томатной пасты без соли*
- ♦ *¼ чашки белого уксуса*
- ♦ *½ чайной ложки лукового порошка*
- ♦ *½ чайной ложки чесночного порошка*

1. Тщательно измельчите в блендере смешанные с водой финики до получения однородной массы.

2. Вылейте в кастрюлю с остальными ингредиентами, сбивайте вместе при умеренно низком нагревании до появления пены.

3. Охладите перед подачей на стол.

ИСЛАНДСКАЯ ПОДЛИВА ИЗ ФАСОЛИ ТЕМНЫХ СОРТОВ

4 порции

- ♦ *1½ чашки вареной фасоли темных сортов или упаковка (500 г) несоленой, с пониженным содержанием натрия, фасоли темных сортов, высушенной и промытой*
- ♦ *2 чайные ложки соуса сальса без добавления соли*
- ♦ *¼ чашки нарезанного лука-шалота*
- ♦ *1 ½ столовой ложки уксуса из апельсинов или другого фруктового уксуса*
- ♦ *Смесь сухих приправ, содержащих сушеные томаты, по вкусу*
- ♦ *2 столовые ложки нарезанного красного лука*
- ♦ *½ чашки нарезанного мелкими кубиками манго*
- ♦ *¼ чашки нарезанного кубиками красного перца*
- ♦ *1 столовая ложка свежей мелко нарезанной кинзы для украшения*

1. Отделите ¼ чашки черной фасоли и отложите в сторону.

2. Остальную фасоль отправьте в блендер или кухонный комбайн.

3. Добавьте соус сальса, лук-шалот, уксус и специи.

4. Взбейте до получения однородной массы.

5. Переложите смесь в миску и добавьте остальную фасоль, красный лук, манго и красный сладкий перец.

6. Хорошо перемешайте и поставьте на холод на 1 час.

7. Украсьте кинзой.

8. Подавайте с сырыми овощами.

9. Выход 2½ чашки.

ЧИПСЫ ИЗ КАПУСТЫ БРАУНКОЛЬ С ПРЯНОСТЯМИ И ВОЗДУШНОЙ КУКУРУЗОЙ

- *4–5 листов кудрявой капусты браунколь, жесткие черенки и центральная жилка которых должны быть удалены, а листья порублены*
- *6 чашек воздушной кукурузы*
- *оливковое масло*
- *вода*
- *1 столовая ложка пищевых дрожжей*
- *1–2 чайные ложки молотого перца чили*

1. Равномерно разложите на противне капусту браунколь.

2. Запекайте в духовом шкафу при температуре 180 °C в течение 30 минут или пока браунколь не высушится и станет хрустящей.

3. Выньте из духового шкафа; когда браунколь охладится, смешайте ее с воздушной кукурузой.

4. В небольшую бутылочку с распылителем налейте в равных частях оливковое масло и воду и хорошо взболтайте.

5. Сбрызните очень тонким слоем воздушную кукурузу и капусту, затем введите в смесь пищевые дрожжи и молотый перец чили.

ПРОСТОЙ ГУАКАМОЛЕ
4 порции

- *2 спелых авокадо, очищенных и без косточки*
- *½ чашки мелко порубленного репчатого лука*
- *¼ чашки нарезанной свежей кинзы*
- *2 столовые ложки свежевыжатого сока лайма*
- *¼ чайной ложки молотого тмина*
- *¼ чайной ложки свежемолотого черного перца*

1. Авокадо разомните вилкой в небольшой миске.

2. Добавьте остальные ингредиенты и хорошо перемешайте.

3. Накройте и охладите.

СУПЫ

«МОДНЫЙ» СУП ИЗ КАПУСТЫ БРАУНКОЛЬ
4 порции

- *½ чашки желтого лущеного гороха половинками*
- *1 нарезанная луковица*
- *1 чашка нарезанных грибов*
- *2 чашки морковного сока*
- *450 г томатного соуса без добавления соли или с низким содержанием натрия*

- *700 г капусты браунколь, грубые стебли и центральная жилка должны быть удалены, а листья крупно нарезаны*
- *¼ чашки масла из семян ореха кешью*
- *1 столовая ложка пищевых дрожжей*

1. Поместите в кастрюлю-скороварку желтый лущеный горох, залейте его 2 ½ чашки воды и готовьте при высоком давлении в течение 6–8 минут.

2. Добавьте все остальные ингредиенты, кроме масла кешью и готовьте при высоком давлении еще 1 минуту.

3. Убавьте давление и смешайте суп с маслом из семян ореха кешью.

4. Перед подачей посыпьте блюдо пищевыми дрожжами.

Приготовление без скороварки

1. Предварительно приготовьте лущеный горох до мягкого состояния.

2. Соедините вареный горох со всеми остальными ингредиентами, кроме масла кешью.

3. Доведите до кипения, уменьшите огонь и варите на медленном огне, пока браунколь не станет мягкой (около 15 минут).

4. По мере необходимости добавляйте воду, чтобы довести до нужной консистенции. Добавьте масло кешью.

5. Перед подачей посыпьте блюдо пищевыми дрожжами.

СУП-ПЮРЕ ИЗ МУСКАТНОЙ ТЫКВЫ С ГРИБАМИ

4 порции

- *2 чашки воды*
- *2 чашки соевого, конопляного или миндального молока*
- *450 г овощного бульона с низким содержанием натрия*

- *6 морковок, нарезанные крупными кусками*
- *5 черенков экологически чистого черешкового сельдерея, нарезанного кусочками в 1,5 см*
- *2 луковицы, разрезанные пополам*
- *2 средних цукини, нарезанные большими кусками*
- *2 крупноплодные столовые тыквы, очищенные и нарезанные кубиками*
- *Смесь приправ без соли по вкусу*
- *¼ чайной ложки мускатного ореха*
- *¼ чайной ложки гвоздики*
- *300 г грибов шиитаки, кремино и/или вешенок с удаленными ножками и шляпками, разрезанными на половинки*

1. Уложите все ингредиенты, кроме грибов, в суповой горшочек.

2. Доведите до кипения, уменьшите огонь и варите на медленном огне в течение 30 минут.

3. Перелейте суп в блендер и взбивайте до однородной массы, а затем поместите снова в горшочек.

4. Добавьте грибы и варите на медленном огне еще 30 минут или пока грибы не станут мягкими.

ЗНАМЕНИТЫЙ ПРОТИВОРАКОВЫЙ СУП ДОКТОРА ФУРМАНА
10 порций

- *1 чашка сушеного лущеного гороха и/или фасоли*
- *4 чашки воды*
- *6–10 цукини средних размеров*
- *5–6 чашек свежевыжатого морковного сока*
- *2 чашки свежевыжатого сельдерейного сока*
- *Смесь приправ без соли по вкусу*
- *4 луковицы средних размеров, порубленные*
- *3 стебля лука-порея, крупно нарезанного*

- *2 розетки капусты браунколь, листовой капусты или другой зелени, грубые стебли и центральные жилки должны быть удалены, а листья порублены*
- *1 чашка сырых орехов кешью*
- *2 ½ чашки свежих грибов (шиитаки, кремини и/или белых), нарезанных*

1. Фасоль положите в большой горшок, залейте водой и поставьте на медленный огонь.

2. Доведите до кипения, еще уменьшите огонь и варите на медленном огне.

3. Добавьте в горшок целый цукини.

4. Добавьте морковный сок, сок сельдерея и приправы.

5. В блендере смешайте лук, лук-порей, капусту браунколь немного жидкости из супа.

6. Перелейте эту смесь в суповой горшок.

7. Переложите размягченные цукини в блендер и взбейте их с кешью до получения однородной сметанообразной массы.

8. Перелейте эту смесь снова в суповой горшок.

9. Добавьте грибы и продолжайте варить на медленном огне до готовности фасоли, общее время приготовления составит около 2 двух часов.

ЗОЛОТИСТЫЙ АВСТРИЙСКИЙ СУП-ПЮРЕ ИЗ ЦВЕТНОЙ КАПУСТЫ

4 порции

- *1 кочан цветной капусты, порезанной на кусочки*
- *3 морковки, нарезанной крупными кусками*
- *1 чашка сельдерея, нарезанного крупными кусками*
- *2 стебля лука-порея, порубленного крупными кусками*
- *2 зубчика чеснока, измельченные*
- *Смесь приправ без соли по вкусу*

- ♦ *2 чашки морковного сока*
- ♦ *4 чашки воды*
- ♦ *½ чашки мускатного ореха*
- ♦ *1 чашка сырых орехов кешью или ½ чашки масла из орехов кешью*
- ♦ *5 чашек нарезанных листов капусты браунколь или молодого шпината*

1. Поместите все ингредиенты, кроме кешью и браунколь, в горшочек.

2. Накройте крышкой и варите на медленном огне в течение 15 минут или пока овощи не станут мягкими.

3. Припустите на пару капусту браунколь, пока она не станет мягкой.

4. Если вы используете шпинат, в паровой обработке нет необходимости, он и так дойдет до готовности в суповом горшочке.

5. В кухонном комбайне или мощном блендере соедините ⅔ этого супа и овощей с кешью и взбивайте до получения однородной сметанообразной массы.

6. Перелейте массу снова в горшочек и добавьте распаренную капусту браунколь или сырой шпинат.

СУП ИЗ ВОДЯНОГО КРЕССА И ГРИБОВ ШИИТАКЕ
4 порции

- ♦ *2 больших стебля лука-порея, тщательно вымытые и порезанные на кусочки 1,5 см*
- ♦ *3 средних моркови, очищенные и порезанные кусочками*
- ♦ *3 зубчика чеснока, порубленные*
- ♦ *3 чашки нарезанных кусочками грибов шиитаке*
- ♦ *6 чашек овощного бульона с низким содержанием натрия без добавления соли*

- *3 чашки вареной белой фасоли или 800 г консервированной фасоли с низким содержанием натрия без добавления соли, подсушенной*
- *5 чашек водяного кресса, грубые прожилки удалить*
- *1 чайная ложка прованских трав*
- *черный перец по вкусу*

1. Нагрейте ⅛ чашки воды в суповом горшочке.

2. Добавьте лук-порей, морковь, чеснок и тушите в течение 3 минут.

3. Добавьте грибы и готовьте еще 3 минуты или пока грибы не дадут сок.

4. Добавьте овощной бульон, водяной кресс и прованские травы и варите на медленном огне в течение 15 минут.

5. Половину супа взбейте в кухонном комбайне или мощном блендере до однородной массы.

6. Перелейте снова в горшочек.

Невегетарианский вариант. Можно добавить в суп 100 г мяса дичи, когда оно будет готово, вынуть, порезать на кусочки и снова добавить в суп.

ТОМАТНЫЙ СУП-ПЮРЕ
4 порции

- *3 чашки морковного сока*
- *1½ свежего порезанного помидора или 800 г консервированных помидоров с низким содержанием натрия без добавления соли*
- *¼ чашки нарезанных кусочками вяленых помидоров*
- *2 стебля сельдерея, нарезанного*
- *1 небольшая луковица, порубленная*
- *1 стебель лука-порея, порубленного*
- *1 большой лук-шалот, порубленный*

- *3 зубчика чеснока, измельченные*
- *Смеси приправ с сухими томатами без добавления соли, по вкусу*
- *1 чайная ложка сухого молотого тимьяна*
- *1 небольшой лавровый лист*
- *½ чашки сырых орехов кешью или ¼ чашки масла из сырых орехов кешью*
- *¼ чашки свежего рубленого базилика*
- *150 г экологически чистого молодого шпината*

1. Все ингредиенты, кроме орехов кешью, базилика и шпината, сложите в большую кастрюлю.

2. Варите на медленном огне 30 минут.

3. Уберите из супа лавровый лист.

4. Отделите 2 чашки овощей с помощью шумовки и отложите в сторону.

5. Остальную часть супа и орехи кешью взбейте в пюре в кухонном комбайне или мощном блендере.

6. Полученную массу супа-пюре соедините с отложенными овощами в суповом горшочке.

7. Добавьте базилик и шпинат и продолжайте томить на слабом огне еще несколько минут, до готовности шпината.

ВТОРЫЕ БЛЮДА

ШПИНАТ С ГРИБАМИ ПО-АМЕРИКАНСКИ

4 порции

- *2 луковицы средних размеров, мелко порубленные*
- *1 чайная ложка оливкового масла*
- *1 чайная ложка пищевых дрожжей*

- *Смесь приправ без добавления соли, по вкусу*
- *6 чашек грибов шитаке, нарезанных*
- *600 г свежего шпината*

1. ⅓ чашки лука потушите в воде с добавлением 1 чайной ложки оливкового масла в течение 5 минут.

2. Добавьте грибы, приправы и пищевые дрожжи, накройте крышкой и держите еще 5 минут или пока грибы не станут мягкими.

3. Добавьте шпинат и варите еще 2 минуты, затем накройте и снимите с огня.

4. Дайте постоять 5 минут, чтобы довести до готовности шпинат.

ЭНЧИЛАДА С ФАСОЛЬЮ

6 порций

- *1 сладкий зеленый перец средних размеров с удаленными семенами и нарезанный кусочками*
- *½ чашки лука, нарезанного кольцами*
- *200 г томатного соуса, разделенного на две части, с низким содержанием натрия, без соли*
- *2 чашки фасоли пинто, или фасоли темных сортов, или консервированной фасоли с низким содержанием натрия или без добавления соли, высушенной*
- *1 чашка зерен замороженной кукурузы*
- *1 столовая ложка молотого перца чили*
- *1 чайная ложка тмина*
- *1 чайная ложка порошка лука*
- *⅛ чайной ложки красного стручкового перца по желанию*
- *1 столовая ложка свежей нарезанной кинзы*
- *6 кукурузных лепешек*
- *Щепотка кайенского перца (по желанию)*

1. Зеленый перец и лук тушите, добавив две столовые ложки томатной пасты, до мягкого состояния.

2. Затем добавьте оставшийся томатный соус, фасоль, кукурузу, молотый перец чили, тмин, сухой луковый порошок, кинзу и кайенский перец (по желанию).

3. На каждую лепешку ложкой положите около ¼ чашки фасолевой смеси и сверните.

4. Можно подавать в таком виде или запечь еще в течение 15 минут в духовом шкафу при температуре 180 °C.

ПОЛЕЗНЫЕ ГАМБУРГЕРЫ
8 порций

- *1 ½ чашки овсяных хлопьев «Геркулес»*
- *1 чашка молотых грецких орехов*
- *1 чашка воды*
- *¼ чашки томатной пасты*
- *Смесь приправ с вялеными томатами без добавления соли, по вкусу*
- *1 чашка лука, нарезанного кубиками*
- *3 зубчика чеснока, измельченных*
- *6 чашек грибов, мелко порубленных*
- *2 чашки сушеного базилика*
- *½ чайной ложки сушеного орегано*
- *2 столовые ложки свежей петрушки, мелко порубленной*
- *свежемолотый перец, порубленный по вкусу*
- *⅔ чашки замороженного порубленного шпината (перед приготовлением следует разморозить)*

1. Предварительно разогрейте духовой шкаф до 180 °C.

2. В небольшой кастрюле сбейте венчиком воду, томатную пасту и смесь специй.

3. Поставьте на средний огонь до закипания.

4. Выключите огонь и добавьте «Геркулес» и грецкие орехи. Хорошо перемешайте и отставьте в сторону.

5. Тушите в сковороде лук и чеснок, пока лук не станет полупрозрачным.

6. Затем добавьте грибы и, при необходимости, воду, добавьте заправку и продолжайте готовить еще 5 минут или пока грибы не станут мягкими.

7. В большой миске соедините тушеный лук и грибы, смесь «Геркулеса» и грецких орехов, шпинат и специи. Хорошо перемешайте.

8. Мокрыми руками вылепите из смеси котлеты правильной формы и запекайте на листе, смазанном тонким слоем масла, еще в течение 15 минут.

9. Переверните котлеты, чтобы пропечь их с другой стороны, и отправьте в духовой шкаф еще на 15 минут.

10. Подавайте на маленьких булочках для гамбургеров из цельного зерна или на кусочках разрезанного пополам лаваша. Сверху украсьте тонкими кольцами красного лука, кетчупом без соли с низким содержанием натрия и мелко порубленным салатом-латуком. Выход: 12 гамбургеров.

Невегетарианский вариант: 200–250 г рубленого белого мяса индейки можно подмешать в миску перед формированием пирожков, что придаст бургерам особый аромат.

КОНВЕРТИКИ ИЗ ФАСОЛИ ТЕМНЫХ СОРТОВ И ЛИСТЬЕВ САЛАТА РОМЭН
4 порции

- *2 чашки вареной белой фасоли или консервированной фасоли с низким содержанием натрия без добавления соли*
- *½ большого спелого авокадо, очищенного, с размятой мякотью*

- ½ зеленого сладкого перца средних размеров, мелко порубленного (семена предварительно удалить)
- 3 зеленые луковицы, мелко порубленные
- ⅓ чашки свежей мелко порубленной кинзы
- ⅓ чашки мягкого соуса сальса с низким содержанием натрия без добавления соли
- 2 столовые ложки свежевыжатого сока лайма
- 1 зубчик измельченного чеснока
- 1 чайная ложка молотого тмина
- 8 больших листьев рыхлокочанного салата ромэн

1. В миске смешайте раздавленную фасоль и авокадо, пока смесь не станет достаточно однородной и лишь немного комковатой.

2. Добавьте все остальные ингредиенты, кроме салата, и перемешайте.

3. На каждый лист салата в центе положите примерно ¼ чашки смеси и сверните в виде пирожка буррито.

ТУШЕНАЯ КАПУСТА БРАУНКОЛЬ И КРУПНОПЛОДНАЯ СТОЛОВАЯ ТЫКВА С СЕМЕЧКАМИ

6 порций

- 2 кочана капусты браунколь, жесткие стебли и центральная жилка удалены, а листья порублены
- 1 мускатная тыква средних размеров или небольшая обыкновенная тыква, очищенная и нарезанная кубиками
- 2 головки красного лука средних размеров, крупно порубленные
- 6 зубчиков чеснока, нарезанного тонкими ломтиками
- Смесь приправ без добавления соли, по вкусу
- ⅔ чашки воды

- *3 столовые ложки бальзамического уксуса*
- *1 чашка сырых семян тыквы или семян подсолнечника, немного поджаренных[1]*

1. Поместите капусту браунколь, столовую крупноплодную тыкву, лук, чеснок и приправы в большой горшок с водой.

2. Накройте крышкой и готовьте на медленном огне в течение 20 минут, пока капуста и тыква не станут мягкими.

3. Добавьте уксус и встряхните.

4. Подавайте, посыпав слегка поджаренными семенами тыквы или подсолнечника.

БРЮССЕЛЬСКАЯ КАПУСТА ПО-ПОЛЬСКИ

3 порции

- *6 чашек брюссельской капусты*
- *¼ чашки тофу*
- *2 столовые ложки сока лимона*
- *2 финика без косточек*
- *1 измельченный зубчик чеснока*
- *Смесь приправ без добавления соли, по вкусу*
- *½ чашки порубленной петрушки, разделенной на две части*
- *½ чашки соевого, конопляного или миндального молока без сахара*

1. Разрежьте кочанчики брюссельской капусты пополам.

2. Проварите на медленном огне 8 минут или пока не станут мягкими.

---

[1] Поджарьте семена в духовом шкафу при температуре 160 °C в течение 4 минут, пока они не подрумянятся.

3. Смешайте тофу, лимонный сок, финики, чеснок, приправы, ¼ чашки петрушки и соевое молоко в блендере, взбейте и полейте этой смесью брюссельскую капусту.

4. Посыпьте остальной петрушкой.

КРЕМОВЫЙ КАРРИ ИЗ КРЕСТОЦВЕТНЫХ

4 порции

- *2 головки лука, нарезанного мелкими кубиками*
- *4 зубчика чеснока, измельченного*
- *3 моркови, нарезанной кубиками*
- *3 пастернака, нарезанного кубиками*
- *2 чашки соевого, конопляного или миндального молока без сахара*
- *1 головка цветной капусты, разобранной на мелкие соцветия*
- *2 чашки нарезанных ломтиками грибов*
- *1 столовая ложка карри*
- *1 чайная ложка куркумы*
- *1 чайная ложка тмина*
- *2 чашки турецкого гороха, вареного или консервированного, с низким содержанием натрия без добавления соли*
- *500 г капусты браунколь, жесткие стебли и центральная жилка удалены, а листья порублены*
- *1 чашка замороженного зеленого горошка*
- *½ чашки сырых орехов кешью, измельченных*

1. В большой кастрюле для бульона тушите на среднем огне лук, чеснок, морковь и пастернак, пока лук не станет полупрозрачным (около 5 минут).

2. Добавьте соевое молоко, цветную капусту, грибы, порошок карри, куркуму, тмин и продолжайте готовить еще 10 минут под крышкой на медленном огне.

3. Добавьте капусту браунколь, зеленый горошек, турецкий горох и продолжайте готовить под крышкой еще 15 минут или пока овощи не станут мягкими.

4. Каждую порцию посыпьте рублеными орехами кешью.

Невегетарианский вариант: 150–200 г нарезанного кубиками цыпленка или индейки можно добавить на первом этапе готовки.

РАТАТУЙ С ГРИБАМИ КРЕМИНИ
2 порции

- *1 головка лука средних размеров, нарезанная тонкими кольцами*
- *2 зубчика чеснока, измельченного*
- *2 больших помидора, нарезанного кусочками, или 500 г консервированных помидоров без добавления соли*
- *1 баклажан средних размеров, нарезанный кубиками в 2 см*
- *1 цукини средних размеров, нарезанный поперечными ломтиками толщиной 2 см.*
- *300 г кремини или других грибов, нарезанных ломтиками*
- *1 красный перец средних размеров, нарезанный кусочками в 2 см*
- *1 чайная ложка орегано*
- *1 чайная ложка базилика*
- *Черный перец по вкусу*

1. Разогрейте в большом глубоком котелке $1/8$ чашки воды.

2. Потушите лук с добавлением воды до размягчения примерно 3 минуты.

3. Добавьте чеснок и готовьте еще 1 минуту, добавляя при необходимости воду, чтобы не подгорело.

4. Уменьшите огонь и добавьте помидоры, баклажан, цукини, грибы, красный перец и специи.

5. Накройте крышкой и готовьте, время от времени помешивая, пока овощи не станут мягкими, примерно 1 час.

6. Подавайте в теплом виде.

ПРОСТАЯ ОВОЩНАЯ ПИЦЦА

4 порции

- *4 больших лаваша из цельного зерна*
- *2 чашки соуса для пасты без добавления соли с низким содержанием натрия*
- *½ чашки нашинкованных грибов шиитаке*
- *½ чашки порубленного красного лука*
- *300 г замороженных соцветий капусты брокколи, оттаявших и мелко нашинкованных*
- *½ чашки нарезанного кусочками вегетарианского сыра типа моцарелла*

1. Предварительно нагрейте духовой шкаф до 100 °C.

2. Положите лаваши на два противня и разогревайте в течение 10 минут.

3. Выньте лаваши из духового шкафа и смажьте соусом.

4. Равномерно разложите грибы, лук и брокколи.

5. Посыпьте тонким слоем сыра.

6. Запекайте в течение 30 минут.

Невегетарианский вариант: на основе используемого сыра, расход которого можно сократить (меньше половины чашки), если его смешать с пополам с сыром из вегетарианского варианта.

ТУШЕНЫЕ ЧИЛИ И ГОДЖИ

6 порций

- *3 чашки сливовидных помидоров, нарезанных кубиками, или 800 г консервированных помидоров без добавления соли или с низким содержанием натрия, жидкость слить*
- *500 г замороженной брокколи, порубленной*
- *300 г замороженного лука*
- *2 ½ чашки кукурузы, свежей или замороженной*
- *½ чашки ягод годжи[1]*
- *2 больших цукини, нарезанных кубиками*
- *100 г порубленного мягкого молодого зеленого перца чили*
- *4 чайные ложки молотого чили или больше, по вкусу*
- *2 чайные ложки тмина*
- *3 зубчика измельченного чеснока*
- *1 ½ чашки вареной фасоли пинто или 450 г консервированной фасоли без добавления соли с низким содержанием натрия, жидкость слить*
- *1 ½ чашки вареной фасоли темных сортов или 450 г консервированной фасоли без добавления соли или с низким содержанием натрия, жидкость слить*
- *1 ½ чашки вареной красной фасоли или 450 г консервированной фасоли без добавления соли или с низким содержанием натрия, жидкость слить*

1. Накройте крышкой и варите на медленном огне все ингредиенты, кроме фасоли, в течение 20 минут.

2. Добавьте фасоль и подогрейте.

---

[1] Можно заменить клюквой.

МАРОККАНСКАЯ СМЕСЬ С ЛИСТОВОЙ ЗЕЛЕНЬЮ

4 порции

- *1 столовая ложка измельченного чеснока*
- *1 ½ чашки нарезанного кубиками лука*
- *2 чашки нарезанных ломтиками грибов*
- *1 красный сладкий перец без семян, мелко порубленный*
- *1 столовая ложка кориандра*
- *1 столовая ложка корицы*
- *1 столовая ложка тмина*
- *1 чайная ложка размельченного красного перца*
- *2 чашки запеченных помидоров, без добавления соли с низким содержанием натрия*
- *4 чашки листовой горчицы; грубые стебли должны быть удалены, листья мелко нашинкованы*
- *4 чашки листовой капусты, грубые стебли должны быть удалены, листья мелко нашинкованы*
- *¼ чашки сабзы*

1. В большом суповом горшке на слабом огне нагрейте 2 столовые ложки воды и добавьте лук и чеснок.

2. Варите, помешивая, 5 минут.

3. Добавьте грибы, перец, специи и при необходимости еще воды.

4. Варите, помешивая, еще 5 минут.

5. Добавьте все остальные ингредиенты и варите под крышкой на медленном огне 10 минут или пока зелень не станет мягкой.

ПРЕКРАСНАЯ ТУШЕНАЯ ЧЕЧЕВИЦА ДЛЯ ЛИЗЫ

4 порции

- *2 чашки сушеной чечевицы*
- *6 чашек воды*
- *½ средней головки лука, мелко порубленной*

1. Раздать 1ые куплет песни.

2. Доставить свечи на стол.

3. Всё ... ...

4. ... Спасибо

Судьба ... ... Здоров

- *1 чайная ложка сухого базилика*
- *⅛ чайной ложки черного перца*
- *3 больших спелых помидора, нарезанные кусочками*
- *1 стебель черешкового сельдерея, мелко порубленный*

1. Положите чечевицу, лук, перец и базилик в горшок, залейте водой и варите на медленном огне в течение 30 минут.

2. Добавьте помидоры и сельдерей и варите на медленном огне еще 15 минут или до тех пор, пока чечевица не станет мягкой.

ЧУДО-ГРИБЫ ПО-СТРОГАНОВСКИ

4 порции

- *2 луковицы, нарезанные кубиками*
- *1 столовая ложка измельченного чеснока*
- *4 чашки грибов*
- *2 чайные ложки приправы для домашней птицы*
- *2 чашки сушеных грибов (шитаке или портобелло), замоченных в 2 чашках воды (воду, в которой вымачивались грибы, сохраните)*
- *½ чашки столового хереса или сладкого рисового вина*
- *Смесь приправ без добавления соли, по вкусу*
- *1 ½ чашки замороженного зеленого горошка*
- *8 чашек рубленой руколы*
- *220 г пасты спиральками из цельного зерна*

Для соуса:
- *1 большой кочан цветной капусты, разобранный на соцветия*
- *4 чашки соевого, конопляного или миндального молока*
- *2 чашки белой фасоли, вареной или консервированной без добавления соли с низким содержанием натрия*
- *1 столовая ложка сезамовой пасты тахини или нелущеных семян кунжута*

♦ *Смесь приправ без добавления соли, по вкусу*

♦ *1 столовая ложка порошка лука*

♦ *1 столовая ложка пищевых дрожжей*

1. Лук и чеснок положите в суповой горшочек и тушите в малом количестве воды 5 минут. Добавьте свежие грибы и приправу для птицы и тушите еще 5 минут.

2. Добавьте сушеные грибы вместе с водой, в которой они замачивались. Продолжайте готовить, помешивая, пока грибы не станут мягкими.

3. Добавьте столовый херес, горошек, руколу и готовьте еще 10 минут.

4. Для приготовления соуса положите цветную капусту в кастрюлю, залейте соевым молоком и доведите до кипения, не закрывая крышкой.

5. Уменьшите огонь и варите на медленном огне под крышкой в течение 15 минут, или пока капуста не станет мягкой.

6. Добавьте остальные ингредиенты и взбейте в пюре в блендере до получения однородной массы.

7. Добавьте соус из цветной капусты к смеси грибов и перемешайте.

8. Тем временем сварите пасту согласно инструкции на упаковке.

9. Сохраните 1 чашку воды, оставшейся при готовке.

10. Выложите к пасте соус из цветной капусты и грибной смеси.

11. При необходимости добавьте припасенную воду от готовки.

Невегетарианский вариант: 150–200 г мяса животных, откормленных травой или диких животных, можно порезать на небольшие кубики поварским ножом и добавить в горшочек с грибами, чтобы придать более традиционный венгерский вкус.

ГРИБЫ ПОРТОБЕЛЛО С ФАСОЛЬЮ
4 порции

- *1 большая луковица, мелко порубленная*
- *2 зубчика измельченного чеснока*
- *2 большие чашки грибов портобелло, нарезанных тонкими ломтиками*
- *½ чашки красного вина (или овощного отвара с низким содержанием натрия)*
- *1 большой помидор, нарезанный кубиками, или 8 помидоров черри, разрезанных пополам*
- *1 ½ чашки вареных плодов нута или 450 г консервированного нута без добавления соли или с низким содержанием натрия, без жидкости.*

1. Лук и чеснок потушите с добавлением воды в течение 2 минут или пока лук не станет мягким.

2. Добавьте грибы и красное вино или отвар и продолжайте готовить еще 5 минут или пока грибы не станут мягкими.

3. Добавьте помидоры и плоды нута.

4. Варите на медленном огне 5 минут.

ФАРШИРОВАННЫЙ ПЕРЕЦ «СУПЕРЕДА»
3 порции

- *½ чашки сушеной киноа*
- *3 больших перца, разрезанные пополам по длине и очищенные от семян и мембран*
- *3 зубчика измельченного чеснока*
- *1 средняя луковица, мелко порубленная*
- *1 средний баклажан, нарезанный кубиками*
- *1 средний цукини, нарезанный кубиками*
- *220 г грибов, нарезанных кубиками*

- *1 ½ чашки томатного соуса с низким содержанием соли или помидоры, нарезанные кубиками, без добавления соли*
- *1 чайная ложка сушеного орегано или итальянской приправы (или больше)*
- *2 столовые ложки свежего базилика, по желанию*

1. В горшочек с киноа влейте 1 ¼ чашки воды и варите под крышкой на медленном огне 20 минут.

2. Потушите в воде чеснок и лук.

3. Добавьте баклажан, цукини и грибы и готовьте, пока баклажан и цукини не станут мягкими.

4. Добавьте вареную киноа, томатный соус или нарезанные помидоры и приправу.

5. Ложкой заполните полости перцев этой смесью и запекайте в течение 15 минут при температуре 180 °C.

ГРАТЕН ИЗ ШВЕЙЦАРСКОГО МАНГОЛЬДА И СЛАДКОГО КАРТОФЕЛЯ

6 порций

- *1 чайная ложка свежего порубленного имбиря*
- *1 небольшая головка лука, мелко порубленного*
- *½ чашки порубленного перца*
- *8 чашек швейцарского мангольда, стебли следует удалить, листья крупно нарезать*
- *4 средних клубня (около 600 г) сладкого картофеля, очищенного и нарезанного ломтиками толщиной 2 см*
- *220 г темпея – индонезийской лепешки из ферментированных соевых бобов, нарезанной тонкими ломтиками[1]*
- *2 чашки соевого, конопляного или миндального молока без добавления сахара*

---

[1] Можно заменить обычной лепешкой из цельнозлаковых.

- ♦ ⅛ *чайной ложки мускатного ореха*
- ♦ ⅛ *чайной ложки черного перца*
- ♦ ¼ *чашки сыра моцарелла*
- ♦ *2 столовые ложки льняного семени, поджаренного*

1. Предварительно нагрейте духовой шкаф до температуры 200 °C.

2. Смажьте форму для выпекания оливковым маслом.

3. Нагрейте на большой сковороде ⅛ чашки воды и тушите имбирь, лук и зеленый перец до размягчения.

4. Добавьте швейцарский мангольд и продолжайте готовить, пока он не станет мягким.

5. На дно приготовленной формы для выпекания уложите сладкий картофель.

6. Сверху уложите лепешки и половину смеси из мангольда.

7. Сверху — сладкий картофель, остальную часть лепешек и смеси из шведского мангольда, затем опять сладкий картофель.

8. Соедините молоко, мускатный орех и черный перец. Полейте этой смесью блюдо.

9. Накройте фольгой и запекайте 35 минут.

10. Затем снимите фольгу, сверху покройте сыром, не содержащим молочных ингредиентов, и запекайте еще 15 минут.

11. Посыпьте сверху жареным семенем льна.

Невегетарианский вариант: вместо сыра, не содержащего молочных ингредиентов, используйте свежий сыр моцарелла; в любом случае это очень небольшое количество сыра на одну порцию.

ПИКАНТНАЯ БЕЛАЯ ФАСОЛЬ С ЦУКИНИ

2 порции

- *3 цукини средних размеров, нарезанные небольшими ломтиками*
- *2 зубца чеснока, измельченного*
- *1 ½ чашки вареной северной фасоли или консервированной фасоли без добавления соли или с низким содержанием натрия*
- *¼ чашки бальзамического уксуса*

1. Цукини и чеснок тушите в двух столовых ложках воды на среднем огне в течение 2 минут или пока овощи не станут мягкими.

2. Добавьте фасоль и уксус и готовьте еще 5 минут.

ТАЙСКОЕ ТУШЕНОЕ БЛЮДО ДЛЯ ДОЛГОЛЕТИЯ

4 порции

- *6 зубчиков чеснока, измельченного*
- *2 чайные ложки порубленного имбиря*
- *1 ½ столовые ложки рубленого перца халапеньо*
- *3 чашки порубленного лука-порея*
- *2 чашки грибов, нарезанных на четвертинки*
- *1 чашка нашинкованной капусты*
- *2 чашки стручкового гороха*
- *½ чашки арахисового масла без добавления соли и сахара*
- *1 чашка овощного бульона без добавления соли или с низким содержанием натрия*
- *½ чашки соевого, конопляного или миндального молока без добавления соли и сахара*
- *½ чашки порубленного кокоса без добавления сахара*
- *1 сочный лайм*
- *молотый красный или кайенский перец по вкусу*
- *2 столовые ложки порубленной свежей кинзы для украшения*

1. В большом суповом горшочке нагрейте на среднем огне 2 столовые ложки воды и добавьте чеснок, имбирь, перец халапеньо, лук-порей и грибы.

2. Готовьте, помешивая, 5 минут.

3. Добавьте морковь, капусту, стручковый горох и при необходимости немного воды.

4. Варите еще 5 минут или пока овощи не станут мягкими.

5. В небольшой миске соедините арахисовое масло с овощным бульоном до получения однородного соуса.

6. Добавьте в эту смесь остальную часть овощного бульона, соевое молоко, кокос и сок лимона.

7. По желанию добавьте красный молотый перец или кайенский перец.

8. Перед подачей блюдо посыпьте зеленью кинзы.

Невегетарианский вариант: в горшочек можно добавить 150 г порубленных креветок или гребешков.

КОНВЕРТИКИ ИЗ ЛАВАША ПО-АЦТЕКСКИ

2 порции

- *2 чашки очень мелко нашинкованной листовой капусты*
- *¼ чашки соуса с низким содержанием натрия*
- *¼ чашки масла из сырого миндаля*
- *¼ чашки свежей порубленной кинзы*
- *1 чайная ложка тмина*
- *1 чайная ложка молотого чили*

1. Соедините в миске все ингредиенты.

2. Подавайте смесь, завернув ее в лаваш из цельного зерна.

ИТАЛЬЯНСКИЕ КОНВЕРТИКИ

2 порции

- *2 чашки порубленного салата-латука*
- *¼ чашки порубленной петрушки*
- *¼ чашки сушеных помидоров, нарезанных кубиками, вымоченных до мягкой консистенции, без добавления соли*
- *½ чашки мелко порубленных грецких орехов*
- *1 чайная ложка итальянской приправы без добавления соли*
- *1 ½ столовой ложки томатной пасты*
- *щепотка чесночного порошка*

1. Выложите в миску все ингредиенты.

2. Подавайте на лаваше из цельного зерна или завернув смесь в лаваш из цельного зерна.

Невегетарианский вариант: в конвертики можно добавить 50 г запеченного белого мяса цыпленка или индейки, порезанного на ломтики или мелкие кусочки.

КОНВЕРТИКИ ПО-МУМБАЙСКИ

2 порции

- *2 чашки нашинкованной листовой капусты*
- *¼ чашки вяленого манго, порезанного на кубики*
- *¼ чашки миндального масла*
- *1 чайная ложка молотого карри*
- *2 столовые ложки апельсинового сока, свежевыжатого*

1. Выложите в миску все ингредиенты.

2. Подавайте на лаваше из цельного зерна или завернув смесь в лаваш из цельного зерна.

ДЕСЕРТЫ

КУСОЧКИ ЯБЛОК С ЯГОДАМИ И ОРЕХАМИ

12 порций

- *2 чашки сушеных яблок*
- *1 ½ чашки несладкого ванильного, соевого, конопляного или миндального молока*
- *1 пакет замороженной клубники*
- *½ чашки сырых орехов пекан*
- *½ чашки сырых американских орехов*
- *1 чашка экологически чистого шпината*
- *¼ чашки измельченного кокосового ореха без добавления сахара*
- *½ столовой ложки корицы*
- *¼ чайной ложки мускатного ореха*
- *6 королевских фиников, размятых в кашицу*
- *измельченный кокосовый орех без добавления сахара для украшения*

1. Замочите сушеные яблоки в соевом молоке не менее чем на один час.

2. В блендере взбейте до получения однородной массы замоченные яблоки, соевое молоко, половину клубники и все остальные ингредиенты, кроме кокоса.

3. При необходимости можно добавить соевого молока.

4. Ложкой разложите массу в жаростойкие креманки и запекайте в духовом шкафу 20 минут при температуре около 150 °C.

5. В креманки поверх запеченной массы разложите вторую часть клубники и посыпьте кокосовым орехом.

6. Перед подачей на стол охладите в холодильнике.

ЖЕЛЕ ИЗ ВЗБИТЫХ ЯГОД

2 порции

- ◆ *2 чашки абрикосового нектара без добавления сахара*
- ◆ *3 чайной ложки хлопьев агара, замоченных на ночь в абрикосовом нектаре*
- ◆ *2 чашки смеси свежих или замороженных ягод, нарезанных мелкими кусочками*
- ◆ *1 чайная ложка экстракта ванили*

1. Абрикосовый нектар с хлопьями агара доведите до кипения в маленькой кастрюле на среднем огне.

2. Затем уменьшите огонь и варите на слабом огне 20 минут.

3. Добавьте ягоды и ваниль.

4. Разделите на две порции, перед подачей на стол охладите.

ШЕРБЕТ ИЗ ЧЕРЕШНИ

3 порции

- ◆ *3 чашки замороженной сладкой черешни*
- ◆ *1 чашка ванильного, соевого, конопляного или миндального молока*
- ◆ *1 замороженный спелый банан[1]*
- ◆ *½ чашки грецких орехов*
- ◆ *3 королевских финика, размятые в кашицу*

1. Поместите все ингредиенты в мощный блендер.

2. Смешивайте в нем до получения однородной сметанообразной массы.

---

[1] Спелый банан заморозьте в пластиковом пакете примерно за сутки.

ПЕЧЕНЬЕ ИЗ ЧИА
20 штук

- *2 чашки толокна[1]*
- *½ чашки сухих измельченных кокосовых орехов без добавления сахара*
- *1 чашка сабзы*
- *1 столовая ложка молотых семян чиа*
- *1 столовая ложка целых семян чиа[2]*
- *1 чайная ложка корицы*
- *2 столовые ложки миндального масла*
- *½ чашки сабзы, замоченной в ½ чашки воды*
- *¾ чашки яблочного соуса без добавления сахара*
- *1 чайная ложка ванили*

1. Замочите сабзу на час или больше в половине чашки воды.

2. Взбейте блендером замоченную сабзу с водой, яблочный соус и ваниль.

3. Взбивайте до получения однородной массы, затем добавьте остальные ингредиенты и взбейте еще раз.

4. Сформируйте печенье, уложите на смазанный тонким слоем масла и покрытый пергаментом противень.

5. Выпекайте на слабом огне 1,5–2 часа при температуре 100 °C.

СВЕЖИЕ ФРУКТЫ И ЯГОДЫ В ШОКОЛАДНОМ КРЕМЕ
4 порции

- *2 чашки экологически чистого молодого шпината*
- *1 ½ чашки соевого молока*
- *1 чашка замороженной черники*
- *1 чашка размятых фиников*

---

[1] Т о л о к н о — мука из зерен овса или ячменя, которые предварительно пропариваются, высушиваются, обжариваются, очищаются и толкутся.
[2] Семена чиа можно заменить льном, замоченным на ночь.

- ⅔ *чашки сырого миндаля*
- *2 ½ столовые ложки необработанного щелочью какао-порошка без добавления сахара*
- *½ чайные ложки экстракта ванили*
- *4 столовые ложки ягод годжи*

1. Поместите все ингредиенты в мощный блендер.

2. Смешивайте в нем до получения однородной сметанообразной массы.

Примечание. В этот крем можно макать свежие фрукты или залить им нарезанные кусочками фрукты и ягоды.

ГУСТОЙ ШЕРБЕТ ИЗ ЧЕРНИКИ И ГРЕЦКИХ ОРЕХОВ

2 порции

- *1 ¼ чашки соевого, конопляного или миндального молока без добавления сахара[1]*
- *3 чашки замороженной черники, разделить на 2 части*
- *2 замороженных банана[2], один нарезанный на небольшие кусочки*
- *2 чашки дробленых грецких орехов, разделить на 2 части*
- *1 столовая ложка молотого льняного семени*

1. Взбейте соевое молоко, 2 чашки замороженной черники, 1 замороженный банана (не нарезанный) и 1 чашку орехов в блендере.

2. Переложите массу в охлажденную миску и добавьте остальную часть черники, нарезанный банан и грецкие орехи.

3. Перед подачей посыпьте льняным семенем.

---

[1] Для приготовления более густого шербета используйте 1 чашку, а потоньше — 1 ½ чашки.

[2] Предварительно заморозьте очищенный спелый банан в пластиковом пакете примерно за сутки.

ПИРОГ С КОКОСОВО-МОРКОВНЫМ КРЕМОМ

8 порций

Для начинки:

- ♦ ½ чашки муската или другого сладкого десертного вина
- ♦ 3 натертых на терке яблока
- ♦ 1 чашка сушеных яблок без добавления натрия, нарезанных кусочками
- ♦ ⅓ чашки изюма
- ♦ ⅓ чашки сушеных абрикосов без добавления натрия, нарезанных кусочками
- ♦ ¼ чашки грецких орехов
- ♦ 1 ½ чашки мелко порубленной моркови
- ♦ ½ чашки порубленного цукини
- ♦ ½ чашки нарезанной свеклы
- ♦ ½ чашки рубленого кокосового ореха без добавления сахара
- ♦ ¾ чайной ложки корицы
- ♦ ¼ чайной ложки мускатного ореха

Для корочки пирога:

- ♦ 1 чашка сырого миндаля
- ♦ 1 чашка фиников, размятых в кашицу
- ♦ 2 столовые ложки семян чиа[1]
- ♦ ⅓ чашки сухого толокна (измельченного в блендере)

Для глазури:

- ♦ 1 ⅓ чашки австралийского ореха
- ♦ 1 чашка соевого или конопляного молока
- ♦ ⅔ чашки фиников
- ♦ 1 чайная ложка ванили

---

[1] Можно заменить семенем льна, замоченным на ночь.

1. Для начинки на ночь или хотя бы на 1 час в холодильнике замаринуйте в вине нарезанные сушеные яблоки и абрикосы.

2. Взбейте в кухонном комбайне или блендере изюм и грецкие орехи, затем добавьте смесь из сухофруктов и вина и взбивайте до получения однородной массы.

3. Добавьте кокосовый орех, корицу, мускатный орех и взбивайте вручную с мелко порубленными морковью, цукини и свеклой, сохраняя мелкие кусочки.

4. Для приготовления корочки пирога выложите 2 столовые ложки семени чиа к ¼ чашки воды и оставьте хотя бы на 15 минут.

5. Взбейте в кухонном комбайне до получения пасты.

6. Миндаль мелко измельчите в кухонном комбайне.

7. Овсяное толокно измельчите до муки грубого помола и введите в смесь.

8. Добавьте финики и хорошо перемешайте.

9. Добавьте загустевшее семя чиа и взбейте еще раз.

10. Вымесите и переложите на блюдо для пирога, сформировав корж.

11. Для глазури взбейте австралийский орех, соевое или конопляное молоко, финики и ваниль в мощном блендере до однородной кремообразной массы.

ПИРОЖНЫЕ С «ШОКОЛАДНОЙ» ПОМАДКОЙ ИЗ ФАСОЛИ ТЕМНЫХ СОРТОВ

16 штук

♦ *2 чашки вареной фасоли темных сортов*
♦ *10 королевских фиников или 5 финиковых рулетиков*
♦ *2 ½ столовой ложки масла из сырого миндаля*

- *1 чайная ложка ванили*
- *½ чашки натурального порошка какао*
- *1 столовая ложка молотых семян чиа[1]*

1. Соедините черную фасоль, финики, миндальное масло и ваниль и взбейте в кухонном комбайне или мощном блендере.

2. Взбивайте до получения однородной массы.

3. Добавьте остальные ингредиенты и снова взбейте.

4. Переложите на смазанный маслом противень.

5. Выпекайте при температуре 100 °C в течение полутора часов.

6. Охладите и разрежьте на небольшие квадратики.

7. В холодильнике можно хранить в контейнере с крышкой одну неделю.

ТРЮФЕЛИ С ЯБЛОКАМИ

30–40 шариков

- *1 ½ чашки сырых орехов кешью*
- *1 чашка сырого миндаля*
- *1 среднее яблоко сорта голден делишес, очищенное и нарезанное ломтиками*
- *1 чайная ложка молотых семян чиа[2]*
- *8 сушеных абрикосов, мелко порубленных*
- *корица (для панировки)*
- *порубленный кокосовый орех без добавления сахара (для панировки)*
- *натуральный, не обработанный щелочью какао-порошок (для панировки)*

---

[1] Можно заменить семенем льна, замоченным на ночь.
[2] Можно заменить семенем льна, замоченным на ночь.

1. Размельчите кешью и миндаль в блендере, затем добавьте кусочки яблок, молотое семя чиа и сушеные абрикосы и взбейте еще раз.

2. Для приготовления трюфелей сформируйте небольшие шарики и обваляйте каждый в корице или смеси кокосовой стружки и какао-порошка.

ПОЛЕЗНЫЙ ШОКОЛАДНЫЙ ТОРТ
12 порций

Для торта:
- *1 ⅔ чашки муки для выпечки из цельного зерна пшеницы*
- *1 чайная ложка пищевых дрожжей*
- *3 чайные ложки пищевой соды*
- *3 ½ чашки размятых фиников, разделить на 2 части*
- *1 чашка нарезанного кусочками ананаса в собственном соку без жидкости*
- *1 банан*
- *1 чашка яблочного соуса без сахара*
- *1 чашка порубленной свеклы*
- *¾ чашки порубленной моркови*
- *½ чашки порубленного цукини*
- *3 столовые ложки натурального какао-порошка*
- *½ чашки сабзы*
- *1 чашка измельченных грецких орехов*
- *1 ½ чашки воды*
- *2 чайные ложки экстракта ванили*

Для шоколадно-ореховой глазури:
- *1 чашка сырых австралийских орехов или сырых орехов кешью, или их смеси*
- *1 чашка ванильного, соевого, конопляного или миндального молока*
- *⅔ чашки фиников*

♦ ⅓ *чашки американского ореха или фундука*

♦ *2 столовые ложки натурального какао-порошка*

♦ *1 чайная ложка экстракта ванили*

1. Предварительно нагрейте духовой шкаф до 180 °C.

2. Соедините муку, разрыхлитель или соду для выпечки в небольшой миске. Отставьте в сторону.

3. В блендере взбейте 3 чашки фиников, ананас, банан и яблочный соус.

4. Остальные ½ чашки фиников нарежьте кусочками размером в 1 см.

5. В большой миске соедините нарезанные финики, свеклу, морковь, цукини, какао-порошок, сабзу, грецкие орехи, воду, ваниль и муку. Также добавьте взбитую массу.

6. Уложите полученную массу в форму для выпечки с антипригарным покрытием.

7. Запекайте в течение часа или пока деревянная зубочистка, вставленная в середину, не будет выходить из теста чистой.

8. Для приготовления глазури взбейте все ингредиенты в блендере до получения однородной массы.

9. Покройте глазурью охлажденный торт.

ЯБЛОЧНЫЙ ПИРОГ С ЛЕСНОЙ ЧЕРНИКОЙ
8 порций

Для коржа:

♦ *1 чашка сырого миндаля*

♦ *1 чайная ложка мелко порубленного семени чиа[1]*

♦ *1 чашка фиников*

♦ *2 чайные ложки воды*

---

[1] Можно заменить семенем льна, замоченным на ночь.

Для начинки пирога:

- ♦ ½ чашки воды
- ♦ ½ чашки фиников
- ♦ 1 яблоко, очищенное и порезанное на кусочки
- ♦ 2 чайные ложки мелко порубленного семени чиа
- ♦ 1 чашка замороженной лесной черники, слегка оттаявшей
- ♦ 4 яблока средних размеров, очищенные и порезанные на кусочки
- ♦ 1 столовая ложка корицы
- ♦ ½ чашки изюма

1. Для приготовления коржа смешайте сырой миндаль и 1 чайную ложку порошка из семян чиа и взбейте в кухонном комбайне. Держите кнопку, пока орехи не буду перемолоты до мелкого помола.

2. Добавьте финики и воду и взбивайте, пока масса не соберется в шарик.

3. Выложите полученную массу толстым слоем на смазанный маслом противень. Запекайте корж в течение 5 минут при температуре 120 °C.

4. Для приготовления начинки смешайте воду, финики, нарезанные яблоки и 2 чайные ложки порошка семени чиа.

5. Взбейте в блендере до получения однородной массы.

6. В большой миске перемешайте финиковую смесь с черникой, нарезанными яблоками, корицей и изюмом.

7. Выложите начинку на корж и запекайте при температуре 180 °C полтора часа.

8. Перед подачей на стол охладите, разрежьте на куски.

АЛФАВИТНЫЙ УКАЗАТЕЛЬ

Научно-популярное издание

Джоэл Фурман

СУПЕРИММУНИТЕТ
Методика питания, которая укрепит здоровье,
защитит от многих заболеваний и значительно продлит жизнь

Директор редакции *Е. Капьёв*
Ответственный редактор *П. Вяткина*
Младший редактор *К. Будкова*
Художественный редактор *П. Петров*
Технический редактор *О. Куликова*
Компьютерная верстка *А. Москаленко*

В оформлении переплета использована иллюстрация:
Viktoriia Khorzhevska / Hemera / Thinkstock / Fotobank.ru

ООО «Издательство «Эксмо»
127299, Москва, ул. Клары Цеткин, д. 18/5. Тел. 411-68-86, 956-39-21.
Home page: **www.eksmo.ru** E-mail: **info@eksmo.ru**

Өндіруші: Издательство «ЭКСМО»ЖШҚ, 127299, Мәскеу, Ресей, Клара Цеткин көш., үй 18/5.
Тел. 8 (495) 411-68-86, 8 (495) 956-39-21
Home page: www.eksmo.ru E-mail: info@eksmo.ru.
Тауар белгісі: «Эксмо»
Қазақстан Республикасында дистрибьютор және өнім бойынша арыз-талаптарды
қабылдаушының
өкілі «РДЦ-Алматы» ЖШС, Алматы қ., Домбровский көш., 3«а», литер Б, офис 1.
Тел.: 8(727) 2 51 59 89,90,91,92, факс: 8 (727) 251 58 12 вн. 107; E-mail: RDC-Almaty@eksmo.kz
Өнімнің жарамдылық мерзімі шектелмеген.
Сертификация туралы ақпарат сайтта: www.eksmo.ru/certification

Сведения о подтверждении соответствия издания
согласно законодательству РФ о техническом регулировании
можно получить по адресу: http://eksmo.ru/certification/

Өндірген мемлекет: Ресей
Сертификация қарастырылмаған

Подписано в печать 03.09.2013. Формат 70x100 $^{1}/_{16}$.
Гарнитура «NewBaskervilleC». Печать офсетная. Усл. печ. л. 23,33.
Тираж 4000 экз. Заказ 6596.

Отпечатано с готовых файлов заказчика
в ОАО «Первая Образцовая типография»,
филиал «УЛЬЯНОВСКИЙ ДОМ ПЕЧАТИ»
432980, г. Ульяновск, ул. Гончарова, 14

ISBN 978-5-699-63101-8

Оптовая торговля книгами «Эксмо»:
ООО «ТД «Эксмо». 142700, Московская обл., Ленинский р-н, г. Видное,
Белокаменное ш., д. 1, многоканальный тел. 411-50-74.
E-mail: **reception@eksmo-sale.ru**

По вопросам приобретения книг «Эксмо» зарубежными оптовыми
покупателями обращаться в отдел зарубежных продаж ТД «Эксмо»
E-mail: **international@eksmo-sale.ru**

International Sales: International wholesale customers should contact
Foreign Sales Department of Trading House «Eksmo» for their orders.
international@eksmo-sale.ru

По вопросам заказа книг корпоративным клиентам, в том числе в специальном
оформлении, обращаться по тел. +7 (495) 411-68-59, доб. 2261, 1257.
E-mail: **vipzakaz@eksmo.ru**

Оптовая торговля бумажно-беловыми
и канцелярскими товарами для школы и офиса «Канц-Эксмо»:
Компания «Канц-Эксмо»: 142702, Московская обл., Ленинский р-н, г. Видное-2,
Белокаменное ш., д. 1, а/я 5. Тел./факс +7 (495) 745-28-87 (многоканальный).
e-mail: **kanc@eksmo-sale.ru**, сайт: **www.kanc-eksmo.ru**

Полный ассортимент книг издательства «Эксмо» для оптовых покупателей:
В Санкт-Петербурге: ООО СЗКО, пр-т Обуховской Обороны, д. 84Е.
Тел. (812) 365-46-03/04.
В Нижнем Новгороде: ООО ТД «Эксмо НН», 603094, г. Нижний Новгород,
ул. Карпинского, д. 29, бизнес-парк «Грин Плаза». Тел. (831) 216-15-91 (92, 93, 94).
В Ростове-на-Дону: ООО «РДЦ-Ростов», пр. Стачки, 243А. Тел. (863) 220-19-34.
В Самаре: ООО «РДЦ-Самара», пр-т Кирова, д. 75/1, литера «Е». Тел. (846) 269-66-70.
В Екатеринбурге: ООО «РДЦ-Екатеринбург», ул. Прибалтийская, д. 24а.
Тел. +7 (343) 272-72-01/02/03/04/05/06/07/08.
В Новосибирске: ООО «РДЦ-Новосибирск», Комбинатский пер., д. 3.
Тел. +7 (383) 289-91-42. E-mail: **eksmo-nsk@yandex.ru**
В Киеве: ООО «РДЦ Эксмо-Украина», Московский пр-т, д. 9. Тел./факс: (044) 495-79-80/81.
В Донецке: ул. Артема, д. 160. Тел. +38 (032) 381-81-05.
В Харькове: ул. Гвардейцев Железнодорожников, д. 8. Тел. +38 (057) 724-11-56.
Во Львове: ТП ООО «Эксмо-Запад», ул. Бузкова, д. 2. Тел./факс (032) 245-00-19.
В Симферополе: ООО «Эксмо-Крым», ул. Киевская, д. 153.
Тел./факс (0652) 22-90-03, 54-32-99.
В Казахстане: ТОО «РДЦ-Алматы», ул. Домбровского, д. 3а.
Тел./факс (727) 251-59-90/91. **rdc-almaty@mail.ru**

Полный ассортимент продукции издательства «Эксмо»
можно приобрести в магазинах «Новый книжный» и «Читай-город».
Телефон единой справочной: 8 (800) 444-8-444. Звонок по России бесплатный.

Интернет-магазин ООО «Издательство «Эксмо»
www.fiction.eksmo.ru
Розничная продажа книг с доставкой по всему миру.
Тел.: +7 (495) 745-89-14. E-mail: **imarket@eksmo-sale.ru**